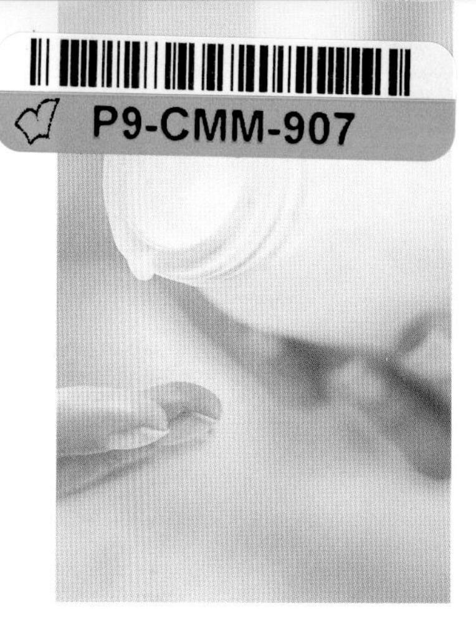

El balneario en casa

El balneario en casa

Programas saludables de fin de semana

integral

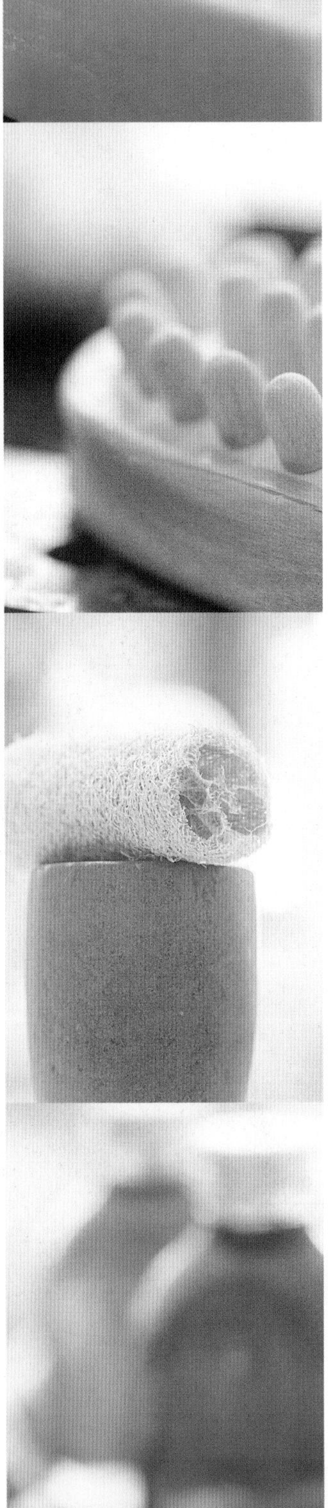

Indicaciones acerca de las recetas

En todas las recetas se utilizan medidas estándar de cuchara:

1 cucharada = una cuchara sopera (15 ml)

1 cucharadita = una cucharilla de postre (5 ml)

Si no se indica lo contrario, los huevos deben ser de tamaño normal.

A menos que se indique de otro modo, la leche tiene que ser entera.

En principio deben usarse hierbas frescas. Si no fuera posible, se pueden utilizar hierbas secas como alternativa, en cuyo caso se utilizará sólo la mitad de la cantidad indicada.

Hay que precalentar el horno a la temperatura especificada. (Si tu horno es de aire, sigue las instrucciones del fabricante para determinar el tiempo y la temperatura.)

Debe emplearse pimienta negra recién molida, a menos que se indique otra cosa.

Recomendación de seguridad

Se recomienda hablar con el médico antes de empezar un plan de ejercicios o una dieta. *El balneario en casa* no debe considerarse un método sustitutivo de los tratamientos médicos profesionales; hay que consultar con un médico todo lo referente a la salud, especialmente en caso de embarazo o de síntomas que puedan requerir diagnóstico o atención médica. Aunque creemos que los consejos y la información que se incluyen en esta obra son correctos y, a pesar de que las instrucciones paso a paso han sido elaboradas para evitar el agotamiento, la autora y el editor declinan toda responsabilidad legal por cualquier tipo de lesión o enfermedad que pueda surgir mientras se siguen los ejercicios, los tratamientos y las dietas que propone el libro.

sumario

6 Introducción

8 Cómo utilizar este libro

10 Fin de semana para eliminar toxinas

12 Ensaladas
16 Visualización
18 Tratamiento con arcilla
20 Zumos
24 Limpieza corporal con cepillo
26 Hidroterapia
28 Método Pilates
33 Drenaje linfático manual
34 Desayunos
36 Natación, sauna y baño de vapor
38 Ensaladas
42 Limpieza capilar y facial
46 Baño de sales de epsomita

48 Fin de semana de relajación

50 Meditación
52 Sopas
56 Baño de aromaterapia
58 Automasaje para dormir
60 Yoga
66 Desayunos
68 Relajación y meditación
72 Almuerzos
76 Masaje
79 Masaje facial
81 Técnicas de respiración y meditación
82 Yoga, relajación y meditación
86 Digitopuntura
88 Aromaterapia facial

90 Fin de semana para recuperar energías

92 Entrenamiento autógeno
93 Fortalecer el sistema inmunológico
98 Calentamiento y estiramientos
104 Bebida energética o muesli
106 Friegas con sal
110 Aromaterapia
112 Ayurveda
114 Reflexología
116 Chi kung
122 Entrenamiento autógeno II

126 Índice

128 Agradecimientos

Es casi un cliché decir que a la mayoría de nosotras nos agobia mucho tratar de hallar un equilibrio entre el trabajo, las obligaciones familiares y la vida social. Lo que sucede a menudo es que tenemos tiempo para todo menos para nosotras mismas. Por eso, la idea de pasar un fin de semana relajante entre algodones (tan sólo un par de días en los que lo más importante seas tú) es algo que atrae a cualquiera. Muchas mujeres, y no pocos hombres, se sienten tentadas de pasar un fin de semana en un balneario. Sin embargo, la distancia, el tiempo y, por supuesto, el dinero, hacen que casi nunca se lo puedan permitir. Y ahí es donde *El balneario en casa* entra en acción: en sus páginas encontrarás la forma de recrear un balneario en tu hogar, sin gastarte una fortuna.

Lo primero que debes hacer es crear un oasis temporal. Reserva un fin de semana sólo para ti, y no programes más actividades. Durante estos días desconecta el teléfono y olvídate del resto del mundo. Si tienes hijos, pide a tu pareja o a tu madre que se ocupe de ellos el fin de semana. Otra posibilidad es ponerse de acuerdo con otra madre para disponer cada una de un fin de semana libre mientras la otra cuida de los niños.

Esto no significa que tengas que pasarte los dos días encerrada en casa. Cada uno de los tres fines de semana propuestos incluye, por lo menos, una actividad especial, como la visita a un terapeuta profesional para que te haga un masaje o una tarde en la piscina para nadar o hacer sauna. Aparte de eso es importante salir de casa al menos una vez al día para respirar aire fresco; sal a dar un paseo, monta en bicicleta o trabaja un poco en el jardín. Verás que el programa diario te deja tiempo para esas actividades.

Si lo deseas, puedes pedir a alguien que conozcas que comparta contigo el fin de semana de balneario, y así tendrás una persona con quien contrastar impresiones a medida que la experiencia progrese.

Sea como fuere, lo más importante es que te relajes, que disfrutes y, sobre todo, que no te sientas culpable por dedicar tiempo a lo que vas a hacer. Verás cómo, incluso tras un período tan breve, notarás una mejoría palpable y cómo muchas de las técnicas y terapias que uses en cada uno de los fines de semana pasarán a formar parte de tu rutina diaria.

introducción

El balneario en casa está dividido en tres secciones que corresponden a tres programas que deben llevarse a cabo durante tres fines de semana completos. Cada uno de esos programas tiene unos objetivos y unos resultados propios. Lo primero que deberás tener en cuenta es lo que sientes que necesitas y lo que quieres conseguir.

El fin de semana de relajación está pensado para personas que sufren estrés de larga duración, que puede manifestarse como ansiedad, dolor de cabeza, problemas digestivos, depresión, erupciones cutáneas o simplemente desánimo. Al final de este fin de semana deberías sentirte tranquila y tener bajo control los síntomas físicos y emocionales.

El fin de semana desintoxicante pone a punto el cuerpo y la mente, y los purifica profundamente. Es el fin de semana apropiado si llevas una dieta inadecuada, basada en alimentos demasiado suculentos o comida basura, si ingieres demasiado alcohol o si cada día tienes que enfrentarte a una atmósfera cargada de humo y contaminación. También te será muy útil si has decidido dejar de fumar: al acabar el fin de semana, sentirás que tu cuerpo está tan purificado que no querrás echarlo todo a perder por un cigarrillo.

El fin de semana para recuperar energías es ideal contra el decaimiento; para esas épocas en las que continuamente estás enferma, con resfriados y gripe, o te sientes cansada a todas horas. Al reforzar tu sistema inmunológico, estarás mentalmente alerta y tendrás energía extra.

Lee bien los programas antes de empezarlos. Compra todo lo que haga falta la semana anterior. Incluso puedes cocinar las comidas con antelación y tener los platos preparados en el congelador. Hay otras cosas que también puedes preparar. Por ejemplo, graba una cinta con música relajante para el fin de semana de relajación o pide hora para una sesión de masaje. Y lo más importante: di a todo el mundo que ese fin de semana vas a estar ocupada. Es sólo para ti.

Cada fin de semana consta de un horario detallado que puedes seguir. Los contenidos del capítulo están estructurados según ese horario, aunque para los elementos que se repitan tendrás que remitirte a una página anterior. Si lo deseas, no dudes en adaptar el horario a tus gustos.

cómo utilizar este libro

viernes

19:00
Cena

20:00
Visualización

21:00
Tratamiento con arcilla

22:00
Dormir

sábado

8:00
Zumo

9:00
Limpieza corporal con cepillo e infusión o agua

9:30
Hidroterapia

10:30
Zumo

11:00
Método Pilates

12:00
Zumo

14:00
Infusión o agua

15:00
Drenaje linfático manual

16:00
Zumo

17:00
Infusión o agua

18:00
Visualización

18:30
Zumo

20:00
Infusión o agua

22:00
Dormir

domingo

8:00
Tónico corporal

9:00
Desayuno

11:00
Natación, sauna y baño de vapor

13:00
Comida

15:00
Limpieza capilar y facial

18:00
Cena

20:00
Baño de sales de epsomita

22:00
Dormir

El fin de semana

La dieta depurativa de este fin de semana se basa en frutas y verduras frescas, a poder ser biológicas, por lo cual es preferible que las compres el jueves o el viernes para que estén en su punto. Tenlas en la nevera hasta que las necesites. En una tienda naturista o en una perfumería deberías poder encontrar un cepillo corporal y arcilla. No olvides pedir hora para el masaje linfático del sábado (si decides acudir a un profesional) y para la sauna y los baños de vapor del domingo.

fin de semana para **eliminar toxinas**

viernes

19:00
Cena
20:00
Visualización
21:00
Tratamiento con arcilla
22:00
Dormir

viernes 19:00 **cena**

Esta noche empieza tu fin de semana para eliminar toxinas. A partir de ahora, y durante el resto del fin de semana, comerás y beberás solamente frutas y verduras frescas, a poder ser biológicas. Se trata de una dieta muy depurativa con la que eliminarás bastantes toxinas. Eso puede provocarte efectos secundarios inesperados, como por ejemplo dolor de cabeza, erupciones cutáneas, sensación de tener la lengua de corcho, así como cambios en el olor de la orina. También puede ser que sientas cansancio, pero no te preocupes y tómatelo con toda la filosofía de la que seas capaz. Si te duele la cabeza, pon un poco de aceite de lavanda en un quemador de esencias y descansa hasta que remita; es mucho mejor que tomarse una aspirina o paracetamol.

Después de cenar, del baño terapéutico y de la sesión de visualización, acuéstate pronto para que tu cuerpo pueda empezar a eliminar toxinas sin que nada lo distraiga.

Cena de ensalada

La parte principal para eliminar toxinas empieza mañana con un día de ayuno a base de zumos. Sin embargo, esta noche puedes comer.

Elige una de estas recetas y prepárate una bandeja bien grande de ensalada. Come lentamente, intentando encontrar todos los sabores. Date mucho tiempo para digerir la comida relajándote en un ambiente tranquilo. El objetivo de este fin de semana es, en parte, que tu mente se libere de los pensamientos negativos y estresantes. Para lograrlo, deberás darle la vuelta a la idea, demasiado extendida, de que tenemos que ir siempre a cien por hora.

Por otro lado, es muy importante que esta misma noche comiences a aumentar tu ingesta de líquidos. Desde que cenes hasta que te vayas a dormir, bebe mucha agua (preferentemente embotellada) o infusiones. Eso ayudará a limpiar el organismo y a empezar con buen pie el proceso de eliminación de toxinas.

ensaladas

Ensalada de verano

Para una persona

½ melón francés maduro
1 lechuga pequeña cortada en tiras
4 o 5 fresas pequeñas, cortadas en rodajitas finas
1 trozo de pepino de 2,5 cm cortado en rodajas finas
1 cucharada de menta picada
1 cucharada de almendras fileteadas para guarnición
Vinagreta:
4 cucharadas de aceite de oliva
2 cucharadas de vinagre de vino blanco
¼ de cucharadita de mostaza francesa
½ diente de ajo picado
1 cucharadita de miel pura
tiritas de corteza de limón
unas ramitas de hierbas
sal
pimienta

1 Para preparar la vinagreta, bate todos los ingredientes hasta que estén bien mezclados.

2 Corta el melón en cuartos, quítale las pipas y la cáscara. Corta la pulpa en dados o haz bolas con una cuchara de helado.

3 Pon las tiras de lechuga en la bandeja y coloca encima el melón, las fresas y el pepino.

4 Añade la menta a la vinagreta y viértela encima de la ensalada. Sírvela adornada con almendras.

Ensalada mediterránea con hortalizas asadas

Para una persona

1 bulbo de hinojo pequeño
1 cebolla roja
2 calabacines cortados longitudinalmente en tiras finas
2 cucharadas de aceite de oliva virgen extra
½ cucharadita de corteza de limón rallada fina
1 cucharadita de tomillo picado
½ pimiento rojo o verde, sin corazón ni semillas, cortado en tiras
100 g de tomates «cherry», partidos por la mitad

Aliño:
2 cucharadas de aceite de oliva virgen extra
1 cucharada de zumo de limón
una pizca de azúcar (opcional)
1 cucharadita de orégano picado
sal
pimienta

1 Corta el bulbo de hinojo y la cebolla roja en pedazos gruesos, con cuidado de no tocar las raíces para que no se rompan al hervir.

2 Calienta agua en un cazo hasta la ebullición. Añade el hinojo y la cebolla. Cuando el agua vuelva a hervir, déjalo un minuto, echa las tiras de calabacín, y hiérvelo todo un minuto más.

3 Pásalo por el colador y déjalo enfriar bajo el grifo. Cuélalo bien y resérvalo.

4 Mezcla el aceite de oliva, el limón y el tomillo en una fuente grande. Añade los vegetales cocidos, las tiras de pimiento y los tomatitos. Remuévelo un poco para bañar los vegetales con el aceite.

5 Forra una parrilla con papel de aluminio. Vierte en ella la mezcla de verduras y distribúyela uniformemente en una sola capa. Ásalo 15 o 20 minutos al grill precalentado, dándole vueltas a menudo, hasta que las verduras estén tiernas y empiecen a dorarse. Deja que se enfríen y colócalas en una bandeja.

6 Para preparar el aliño bate todos los ingredientes hasta que estén bien mezclados, viértelos sobre las verduras y sirve el plato.

Ensalada de espárragos a la parrilla

Para una persona

250 g de espárragos
2 cucharadas de aceite de oliva
25 g de ruca
25 g de hierba de los canónigos
1 cebolleta finamente picada
2 rábanos cortados en rodajas finas
sal
pimienta
Aliño:
2 cucharadas de aceite de oliva virgen extra
1 cucharada de zumo de limón
1 pizca de azúcar (opcional)
1 cucharadita de orégano picado
Guarnición:
hierbas (estragón, perejil, perifollo, eneldo...) muy bien picadas
cáscara de limón cortada en tiritas finas

1 Corta los espárragos y, con un cuchillo de pelar patatas, pela unos 5 cm de la base de cada tallo.

2 Dispón los tallos de espárragos en una capa única sobre una bandeja de horno y rocíalos con el aceite de oliva. Ásalo al grill fuerte, precalentado, unos 7 minutos, dando la vuelta a los espárragos a menudo hasta que al pinchar los tallos con la punta de un cuchillo notes que están tiernos y ligeramente dorados.

3 Salpimenta los espárragos y deja enfriar.

4 Dispón los espárragos, la ruca y los canónigos en una bandeja junto con la cebolleta y los rábanos.

5 Mezcla bien los ingredientes para el aliño en un bol y viértelo sobre la verdura.

6 Adereza con las hierbas picadas y las tiras de corteza de limón.

viernes 20:00 **visualización**

La visualización es un tipo de meditación y, como siempre que se trata de meditar, resulta de gran ayuda calmarse y tener la mente centrada. Aporta muchos beneficios adicionales: puede mejorar la memoria y la concentración, mitigar el estrés y todo tipo de adicciones. Si durante este fin de semana echas de menos alguna comida en particular o la nicotina, puede que la visualización te ayude.

La visualización puede realizarse de muchas formas, tres de las cuales describiremos más adelante. Tal como su nombre sugiere, la visualización consiste en ver una imagen a través de la visión mental. Puedes conseguirlo de tres maneras distintas: con concentración, con visualización mental y con visualización de colores.

Concentrarse en un objeto es un buen modo de introducirse en la meditación, ya que puedes recordar qué es lo que estás haciendo si en algún momento tu visión se distrae del objeto. La visualización mental prescinde del objeto real y se centra en la imagen mental. La visualización de colores le gusta a muchas personas, ya que les es más fácil concentrarse en un color que hacerlo en una imagen más compleja. Tal vez a lo largo del fin de semana te apetezca probar los tres sistemas, pero limítate a un método por sesión.

Prepararse para la visualización

Al igual que sucede con la meditación, en una sesión de visualización hay que evitar cualquier cosa que pueda distraernos, de modo que desconecta el teléfono y, si hay gente en casa, pídeles que hagan el menor ruido posible y que no entren en tu habitación. Sin embargo, tener a alguien con quien realizar el ejercicio de visualización a menudo puede resultar beneficioso para crear una atmósfera de concentración. Ponte ropa ancha y cómoda, intenta que el ambiente del cuarto sea cálido, aunque no en exceso, y siéntate en una posición que puedas mantener durante 20 minutos. Puedes sentarte en el suelo con las piernas cruzadas o simplemente sentarte en una silla; lo más importante es la comodidad y que no tengas que moverte durante la sesión.

Antes de empezar, tómate unos minutos para prepararte tanto mental como físicamente. Cuando estés segura de que estás sentada en una posición cómoda, concéntrate. Probablemente habrá un montón de pensamientos revoloteando en tu mente, pero debes limitarte a observarlos y no dejar que te alcancen. Déjalos a un lado y ya te ocuparás de ellos cuando hayas acabado.

Lo ideal sería que la sesión de visualización durara 20 minutos. Sin embargo, si al principio te es difícil aguantar tanto tiempo, puedes empezar con 10 minutos e intentar ir prolongando las sesiones poco a poco. Durante todo el fin de semana realizarás dos sesiones diarias. El efecto acumulativo es muy beneficioso. El domingo, en la quinta sesión, deberías notar que tu mente está mucho más clara y tranquila. Al acabar cada sesión, no te levantes inmediatamente; permanece en reposo unos minutos, respirando despacio, y trata de retener la tranquilidad durante el resto del día.

Concentración

Elige un objeto, algo pequeño y estático, como por ejemplo una flor, una piedra o una vela encendida. Colócalo frente a ti, aproximadamente a unos noventa centímetros de distancia y a la altura de los ojos. Ciérralos y concéntrate en tu cuerpo sentado en el suelo o en una silla. Sé también consciente de los ruidos que te rodean: los coches que pasan, los perros que ladran, los niños que lloran. Limítate a observar esos ruidos y después deja que se vayan.

Abre los ojos. Sin pestañear, mira durante un minuto, o durante todo el tiempo que seas capaz, el objeto que hayas elegido. Entonces cierra los ojos y observa la imagen que ha quedado fijada en tu mente. Cuando la imagen se desvanezca, abre los ojos de nuevo y vuelve a observar el objeto. Repite la operación, alternando el objeto real con la imagen mental, hasta el final de la sesión.

Visualización mental

Cierra los ojos e imagínate un lugar o un objeto, real o ficticio, que veas solamente con el ojo de la mente. Observa todos los detalles y concéntrate completamente en él. Imaginar un sitio muy tranquilo, como una playa desierta, es muy relajante.

Visualización de color

Elige un color y, con los ojos cerrados, intenta llenar tu mente con él de modo que excluya todo lo demás. Puede resultar útil empezar relacionando el color con una imagen: el mar azul, un paisaje nevado o un campo de trigo dorado. Trata entonces de meterte en la imagen gradualmente hasta que los contornos desaparezcan y el color inunde tu mente.

viernes 21:00 **tratamiento con arcilla**

Puede que la arcilla no sea una de las formas de tratamiento más atractivas del mundo, pero sin duda sí es una de las más antiguas. Los egipcios y los romanos ya utilizaban compresas y mascarillas de arcilla para diversas dolencias y también como tratamiento de belleza, y a menudo se aplicaba junto con tratamientos de aguas termales como parte de una cura. La arcilla terapéutica suele extraerse de zonas cercanas a fuentes de agua mineral; precisamente el alto contenido en minerales es una de las causas fundamentales de los efectos beneficiosos de ese tipo de arcilla.

Los tratamientos con arcilla, como los que se realizan en balnearios, gozan de gran popularidad especialmente en Europa. Tomar las aguas (tanto bebérselas como sumergirse en ellas) y cubrirse completamente el cuerpo con arcilla suelen considerarse como elementos importantes en un tratamiento de salud, y pasar una época cada año «recuperándose» en un balneario es una práctica bastante común. La gente puede ir a hacer un tratamiento para dolencias específicas, como artritis o psoriasis, o simplemente para eliminar toxinas.

Aunque hoy vuelven a estar de moda los tratamientos con arcilla, hace mucho que se conocen sus virtudes terapéuticas. Una de las fuentes más famosas de arcilla terapéutica es el lodazal de Neydharting, a unos 60 km de Salzburgo, en Austria. Algunos hallazgos arqueológicos realizados en esa fuente han revelado que en el año 800 a.C. la utilizaban ya, primero los celtas, y más tarde los romanos. Los animales enfermos y heridos iban, y van aún hoy, hasta allí atraídos por sus virtudes terapéuticas. Paracelso, el alquimista y médico suizo del siglo XV, creyó haber descubierto el elixir de la vida en la arcilla. Más tarde, otros visitantes, como Luis XIV, Napoleón y Josefina, se sometieron a los tratamientos.

Conocido simplemente como «lodazal» o «lodazal de la vida», más de 500 científicos han investigado y analizado la arcilla que se extrae de él y han determinado que es prácticamente única. La razón es que la cuenca del valle glacial de 20.000 años de antigüedad sobre la cual descansa fue primero un lago y luego un lodazal, y sus aguas no llegaron a filtrarse nunca, por lo que ha retenido todos sus componentes orgánicos y minerales y todos sus oligoelementos. Otros lodazales se han secado y han perdido esas sustancias, pero los análisis clínicos han revelado que esa arcilla posee una riqueza inigualable de vida vegetal en descomposición, con más de mil sedimentos vegetales: plantas, semillas, hojas, flores, tubérculos, frutos, raíces y hierbas. Trescientos de esos sedimentos tienen propiedades medicinales reconocidas, y muchos de ellos ya se han extinguido o no se han encontrado jamás fuera de ese lodazal.

Existen evidencias médicas que muestran que la arcilla posee tanto propiedades antiinflamatorias como astringentes. Eso significa que es especialmente útil para eliminar toxinas, para tratar problemas cutáneos como acné, eccemas o psoriasis y para el reúma y la artritis. Se utiliza también en tratamientos de belleza y para el cabello seco, así como para eliminar la celulitis. En algunas tiendas naturistas se puede encontrar arcilla terapéutica y también se puede encargar por correo.

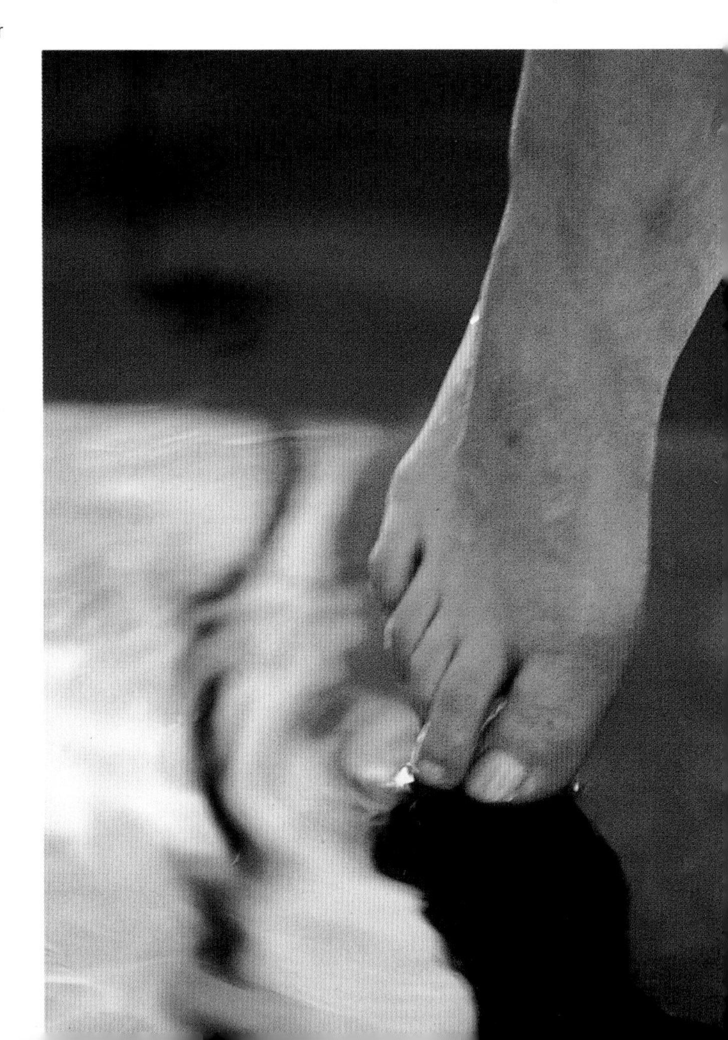

Bebida y baños de arcilla

La arcilla se presenta de muchas formas distintas, pero aquí recomendamos la arcilla para baños y la arcilla para beber. La idea de beber arcilla no resulta muy apetecible, y hay que admitir que su aspecto es el de la arcilla, lo cual, francamente, no ayuda mucho. No obstante, con una cucharadita en un vaso de agua o de zumo de frutas puede que cambie el color, aunque no el sabor ni el olor. Bébela aproximadamente media hora antes de prepararte para el baño de arcilla.

La mejor hora para darte un baño es justo antes de irte a la cama. La temperatura en el baño ha de ser cálida y debes llenar bien la bañera, añadiendo el barro tal y como indiquen las instrucciones del envase. Asegúrate de que lo mezclas bien, o terminarás con grumos de arcilla flotando en el agua. Pon algunas toallas cerca de la bañera para secarte cuando salgas.

Quédate en la bañera entre 20 y 30 minutos y mójate también la cara con el agua. Si lo deseas, y no te da pereza tener que secártelo antes de irte a la cama, puedes mojarte incluso el pelo. Dentro de la bañera trata simplemente de relajarte, tal vez con algo de música tranquila de fondo. Cuando estés lista para salir sécate bien, pero sin frotar la piel con la toalla. Tienes que intentar que en la piel quede la mayor cantidad de residuos del baño. En cuanto estés seca, vete a dormir.

sábado

8:00 Zumo
9:00 Limpieza corporal con cepillo e infusión o agua
9:30 Hidroterapia
10:30 Zumo
11:00 Método Pilates
12:00 Zumo
14:00 Infusión o agua
15:00 Drenaje linfático manual
16:00 Zumo
17:00 Infusión o agua
18:00 Visualización
18:30 Zumo
20:00 Infusión o agua
22:00 Dormir

Hoy es el día principal de tu terapia de eliminación de toxinas, con el ayuno a base de zumos como elemento central. No te dejes intimidar por la perspectiva de pasar un día sólo a base de zumos; a mucha gente le encanta. El zumo fresco tiene un efecto limpiador y regenerador sobre todo el organismo, ya que conserva todos los nutrientes que se pierden con el proceso de manufacturado o al cocinarlo. Están llenos de antioxidantes que aceleran su función curativa y tienen pocas calorías. Resultan especialmente efectivos para limpiar los intestinos y el cuerpo los asimila con gran facilidad. Además, contienen todos los nutrientes de la fruta o la verdura de la que provienen, pero sin nada de fibra. Como es más fácil beber un zumo que comer grandes cantidades de verdura o de fruta, notarás que incluyes en tu dieta una cantidad de nutrientes naturales y frescos muy superior a la habitual.

No se puede hacer un zumo con una batidora o un robot de cocina a no ser que incorpore un utensilio para zumos. Con esos aparatos sólo conseguirás puré de frutas o de verduras, mientras que una licuadora separa la pulpa fibrosa del zumo. Si no tienes licuadora, puedes comprar zumo fresco en el supermercado o en una tienda naturista. Asegúrate de que no contiene aditivos.

Preparar frutas y verduras

Intenta usar frutas y verduras biológicas y elige fruta madura: el zumo será mucho más fácil de hacer y de digerir. No compres productos que estén estropeados o excesivamente maduros. Hay que limpiar muy bien la fruta y la verdura (sobre todo si no es biológica), ya que vas a consumirla entera. No le quites ni las hojas de fuera ni la piel: muchos nutrientes se encuentran precisamente en la parte exterior. Extrae el hueso de los melocotones, pero no las pepitas de la manzana, ya que se pueden licuar.

El zumo casero no tiene el mismo aspecto que el zumo envasado. Puede tener un color más turbio, una consistencia más pastosa, tal vez espuma en la superficie y un sabor más fuerte. Aunque tenga espuma, no hace falta que lo cueles. Remuévelo un poco y bébetelo recién hecho. No lo guardes para más tarde ya que con el tiempo pierde sus valores nutritivos, aunque lo tengas en la nevera.

zumos

Si tienes que comprar zumo, sigue el siguiente menú en función de los zumos disponibles. Encontrarás las recetas de todos ellos en la página 22.

- 8:00
  El zumo de un limón exprimido mezclado con agua caliente
- 9:00
  Infusión o agua
- 10:30
  Zumo de manzana y zanahoria
- 12:00
  Zumo de tomate
- 14:00
  Infusión o agua
- 16:00
  Zumo de frambuesa y melocotón
- 17:00
  Infusión o agua
- 18:30
  Zumo de manzana y zanahoria
- 20:00
  Infusión o agua

Zumo de manzana y zanahoria

Sencillamente delicioso, este zumo es, además, el tónico más completo para limpiar y reforzar el sistema inmunológico. Si hay que elegir un único zumo, es éste.

4 zanahorias
2 manzanas verdes

Lava y, si es necesario, corta las zanahorias y las manzanas para meterlas en la licuadora. Prepara el zumo y bébelo al momento.

Zumo de frambuesa y melocotón

El zumo de frambuesa y melocotón es espeso, dulce y reconstituyente. Es particularmente bueno para casos de fatiga extrema o de anemia. Si te parece demasiado espeso, añádele una o dos manzanas.

Un puñadito de frambuesas
2 melocotones

Lava toda la fruta y deshuesa el melocotón. Prepara el zumo y bébelo al momento.

Zumo de tomate

Éste es un zumo de color rojo intenso. Los tomates contienen betacaroteno, que ayuda a potenciar la inmunidad del organismo ante las enfermedades.

6 tomates

Lava los tomates y, si es necesario, pártelos por la mitad para que quepan en la licuadora. Prepara el zumo y bébelo al momento.

Complemento líquido

Aunque a lo largo del día no tomes nada más que líquidos, no basta con que bebas zumos. Necesitarás beber también aproximadamente 2 litros de fluido extra. Lo más importante es que bebas mucha agua, porque ayuda a limpiar el organismo de toxinas. Si te apetece más algo caliente, las infusiones son una forma excelente de aumentar la ingesta de líquido. No contienen ni tanino ni cafeína y están hechas de hierbas naturales o, en algunos casos, de especias. Puedes hacer tus propias infusiones con hierbas del jardín o del supermercado, o bien comprarlas preparadas. Tanto si utilizas hierbas frescas o secas, como si utilizas bolsitas preparadas, debes dejar la infusión durante al menos cinco minutos en agua hirviendo antes de bebértela.

sábado 9:00 limpieza corporal con cepillo

La piel es el mayor de los órganos corporales y la zona de mayor extensión por la cual se eliminan toxinas. La limpieza corporal con cepillo estimula esta eliminación. Mejora la circulación sanguínea y linfática, lo que ayuda al organismo a deshacerse de las toxinas de una forma más rápida y eficaz. La limpieza corporal con cepillo da a la piel un aspecto más saludable porque elimina la capa superior de piel muerta. Además, el suave masaje de las cerdas tiene también un efecto muy beneficioso para combatir la celulitis.

Se trata de una técnica muy simple, y lo único que necesitas es un cepillo corporal con cerdas naturales o una esponja o manopla de sisal (fibra vegetal). Existen muchos tipos de cepillo, se pueden comprar en farmacias o tiendas de belleza. Necesitarás uno con mango (los hay con mango desmontable) para llegar a la espalda. Hay también cepillos con correas, estupendos para la espalda y los glúteos. Además, la mayoría de esponjas de sisal son lo bastante largas para alcanzar los omoplatos y la parte baja de la espalda.

El método

Realiza la limpieza con cepillo en el baño, ya que te darás la ducha de hidroterapia y te aplicarás los tratamientos inmediatamente después. La limpieza con cepillo se hace antes, con la piel seca. Asegúrate de que la temperatura en el baño sea cálida y de que tengas bastantes toallas a mano. Desnúdate y busca un sitio en el que te puedas sentar cómodamente y llegar con facilidad a los pies.

1 Empieza con la planta del pie derecho. Pasa el cepillo varias veces por toda la planta con movimientos rítmicos y enérgicos. Luego cepilla el empeine en sentido ascendente, hacia el tobillo. Entonces empieza con la parte baja de las piernas y pasa el cepillo por toda la superficie (espinilla y pantorrilla). Cepilla siempre en sentido ascendente.

2 Levántate y cepilla varias veces toda la zona que va de la rodilla a la parte superior del muslo. Hazlo con movimientos rítmicos y prolongados. Luego cepilla los glúteos hasta la cintura. Repite todo el proceso con la pierna izquierda, empezando de nuevo por la planta del pie.

3 Desde la parte superior de los glúteos, y moviendo el cepillo siempre en sentido ascendente, cepilla varias veces toda la espalda hasta los hombros.

4 Luego empieza con el brazo derecho; primero la palma de la mano, luego el dorso, y luego la zona que va desde la muñeca hasta el codo, siempre con movimientos ascendentes y procurando cepillar toda la superficie de piel. Luego pasa el cepillo por el antebrazo, siempre del codo a los hombros, recorriendo toda la superficie de piel. Repite la operación en el brazo izquierdo, empezando por la mano.

5 Cepilla el abdomen con mucha suavidad. Aquí debes hacerlo en círculo, siempre en la dirección de las agujas del reloj. Cepilla toda la zona varias veces, pero ejerciendo menos presión que en los brazos y en las piernas. Si te duele o te molesta, para.

6 El cuello y el pecho son también zonas muy sensibles, de modo que, una vez más, pasa el cepillo con mucha suavidad y siempre hacia el corazón. Si las cerdas son demasiado duras para el cuello, no lo uses en él.
Para cepillar todo el cuerpo de esa forma tardarás entre tres y cinco minutos, dependiendo del número de veces que pases el cepillo en cada zona. Trata de mantener un ritmo y de hacer que el cepillado dure unos cinco minutos. Si realizas esta operación diariamente, apreciarás una mejora real en la textura de la piel (notarás que tiene un tacto más suave), que perderá su aspecto apagado.

La hidroterapia incluye una gran variedad de tratamientos en los que se usa el agua. Al igual que en el caso de la limpieza con cepillo, el efecto de la mayoría de los tratamientos con hidroterapia es poner en marcha el organismo mediante la estimulación de la circulación sanguínea y linfática. Ese efecto suele lograrse gracias a temperaturas extremas a las que uno pronto se habitúa. Las saunas, los baños de vapor y los baños con sal de epsomita son algunas modalidades de hidroterapia, pero hoy vas a empezar el día con una ducha.

sábado 9:30 **hidroterapia**

Ducha hidroterapéutica

Para tomar esta ducha, la temperatura en el baño debe ser cálida y debes tener varias toallas a mano para cuando salgas. Empieza por ducharte durante dos minutos con agua entre tibia y caliente. Muévete bajo el chorro para asegurarte de que el agua llega a todo tu cuerpo. Luego deja que salga agua fría y mantente bajo el chorro durante 30 segundos. Pasado ese tiempo, vuelve a hacer que salga agua caliente durante dos minutos y luego agua fría durante 30 segundos más. Repite todo el proceso una vez más, y acaba con agua fría. Resulta muy provechoso para el organismo que te coloques bajo el chorro de modo que el agua te caiga en la cara.

Sal de la ducha y envuélvete con las toallas. Sécate bien y ponte una bata que abrigue. Siéntate o túmbate durante por lo menos 10 minutos.

Si la ducha te deja cansada, descansa hasta la hora del tónico corporal. Sin embargo, si te resulta estimulante, tal vez quieras probar uno o dos tratamientos de hidroterapia más. Ambos tienen un efecto muy beneficioso cuando estás eliminando toxinas, y a menudo te dan un empujoncito si estás fatigada. Si lo deseas, prueba uno de los siguientes.

Baño de asiento

Este tratamiento se basa en el mismo principio que el de alternar agua caliente y agua fría bajo la ducha. La diferencia está en que, aquí, estarás sentada dentro del agua. Vas a necesitar dos barreños (de hacer la colada, o de una medida similar).

1 Llena uno de los barreños con agua fría. Debería estar muy fría, si te atreves puedes ponerle incluso cubitos de hielo. Llena el otro con agua caliente (ten cuidado de no quemarte).

2 Durante este tratamiento puedes protegerte el torso para no coger frío, pero no te pongas algo excesivamente largo porque podría mojarse. Siéntate en el barreño del agua caliente y mete los pies en el del agua fría. Al principio eso supondrá un choque para el organismo, pero al cabo de un par de minutos empezarás a sentirte bastante a gusto. Transcurridos cinco minutos, cambia de posición: siéntate en el agua fría y pon los pies en la caliente. Luego sécate, ponte una bata que te abrigue (o métete en la cama) y descansa.

Chapotear en la bañera

Este tratamiento produce un choque mucho menor ya que en él sólo intervienen los pies. Ponte algo de ropa para mantenerte lo más caliente posible, pero evita prendas que lleguen por debajo de las rodillas: nada debe cubrir ni los pies ni la parte inferior de las piernas.

Llena la bañera con agua fría; cuanto más fría, mejor. Luego ponte de pie dentro de la bañera y anda dentro del agua sin moverte de sitio, sacando el pie del agua a cada paso. (Procura que el fondo de la bañera no resbale. Si fuera necesario, cúbrelo previamente con una alfombra de goma.) Chapotea de esa forma durante uno o dos minutos. Luego sal de la bañera, sécate los pies, ponte unos calcetines gruesos y descansa al menos 10 minutos.

sábado 11:00 **método Pilates**

Cuando se practica el ayuno, aunque sea sólo un día, conviene no realizar ejercicios que requieran un esfuerzo excesivo. Sin embargo, un poco de ejercicio suave será muy positivo para eliminar toxinas y hará que te sientas bien. Normalmente, se da por sentado que cuando uno ayuna se pasa el día haciendo ejercicios de relajación. Pero la realidad es que si te pasaras el día tumbada en la cama, tu organismo se aletargaría, cuando lo que se necesita al eliminar toxinas es precisamente todo lo contrario. Además, el ejercicio levanta el ánimo, de modo que te ayudará también a sobreponerte a la sensación de cansancio o de apatía.

Los ejercicios de este apartado se basan en el método Pilates, un tipo de ejercicio muy concreto. Se trata de concentrarse en usar correctamente un grupo específico de músculos para fortalecerlos, estirarlos y ponerlos en forma y, al mismo tiempo, liberar tensiones y mejorar la postura. Para llevar a cabo estos ejercicios, vístete con ropa ancha y cómoda, preferiblemente de algodón, y utiliza una habitación en la que el ambiente sea cálido, aunque no en exceso.

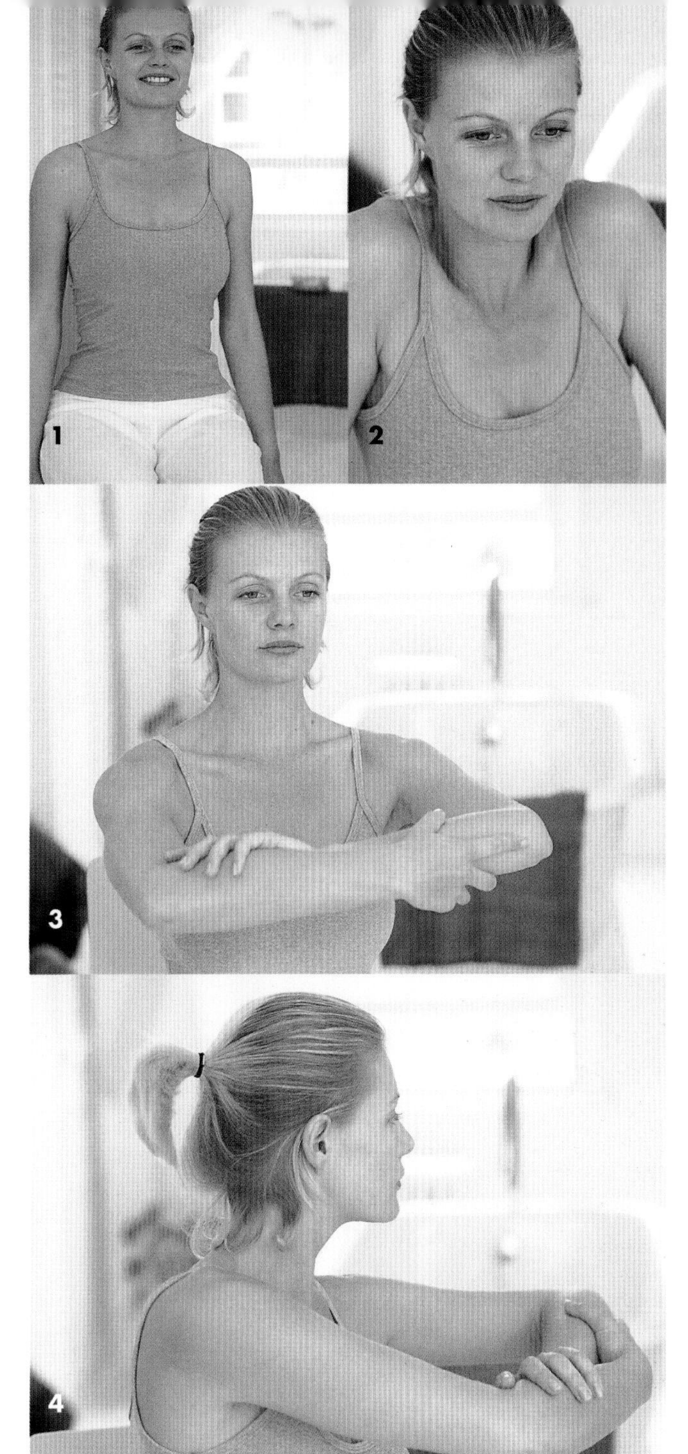

Ensanchar el torso

1 Siéntate en una silla de modo que cuando tengas las plantas de los pies totalmente apoyadas en el suelo, las pantorrillas formen un ángulo recto con el muslo. Debes mantener la espalda completamente recta y la cabeza erguida. Mira al frente y deja los brazos colgando junto al cuerpo. Contrae los músculos del estómago y tensa los del tórax y la cintura.

2 Levanta los hombros todo lo que puedas y luego déjalos caer (se trata de dejarlos caer, no simplemente de bajarlos).

3 Cruza los brazos a la altura del esternón sin hacer fuerza y mantén las manos relajadas, sin cogerte los brazos con ellas. Inspira y, al espirar, contrae ligeramente la barriga de modo que el ombligo se acerque a la columna vertebral y empieza a hacer rotar el torso hacia un lado por la cintura.

4 Gira hacia un lado hasta donde seas capaz, dirigiendo la rotación con los codos y procurando moverte sólo de cintura para arriba; las caderas deben permanecer totalmente quietas. Gira también la cabeza para acompañar el movimiento. Cuando ya no puedas girar más, inspira y vuelve a la posición inicial. Repite la operación hacia el otro lado y ve alternando los giros a derecha e izquierda hasta haberlos hecho diez veces por cada lado.

Fortalecer los abdominales

1 Túmbate de espaldas, con los pies apoyados en el suelo y las rodillas en alto. Toda la columna debería estar también en contacto con el suelo. Asegúrate de que está completamente recta y yergue el cuello, pero sin tensar los hombros. Coloca los brazos a los lados en una posición natural.

2 Inspira profundamente y, al espirar, contrae ligeramente la barriga de modo que el ombligo se acerque a la columna vertebral y nota el contacto de la parte más estrecha de la espalda con el suelo. Contrae los músculos de la base de los glúteos, pero no los muslos.

Empieza a arquearte muy lentamente sobre los pies y la espalda, de modo que los glúteos y los riñones no toquen el suelo. No debes hacer ninguna fuerza ni con los hombros ni con el cuello, que han de seguir relajadamente apoyados en el suelo. Levántate sólo hasta donde seas capaz. Si los abdominales empiezan a temblar es que estás forzando demasiado. Sigue realizando ese movimiento con gran lentitud y concentración durante 10 minutos.

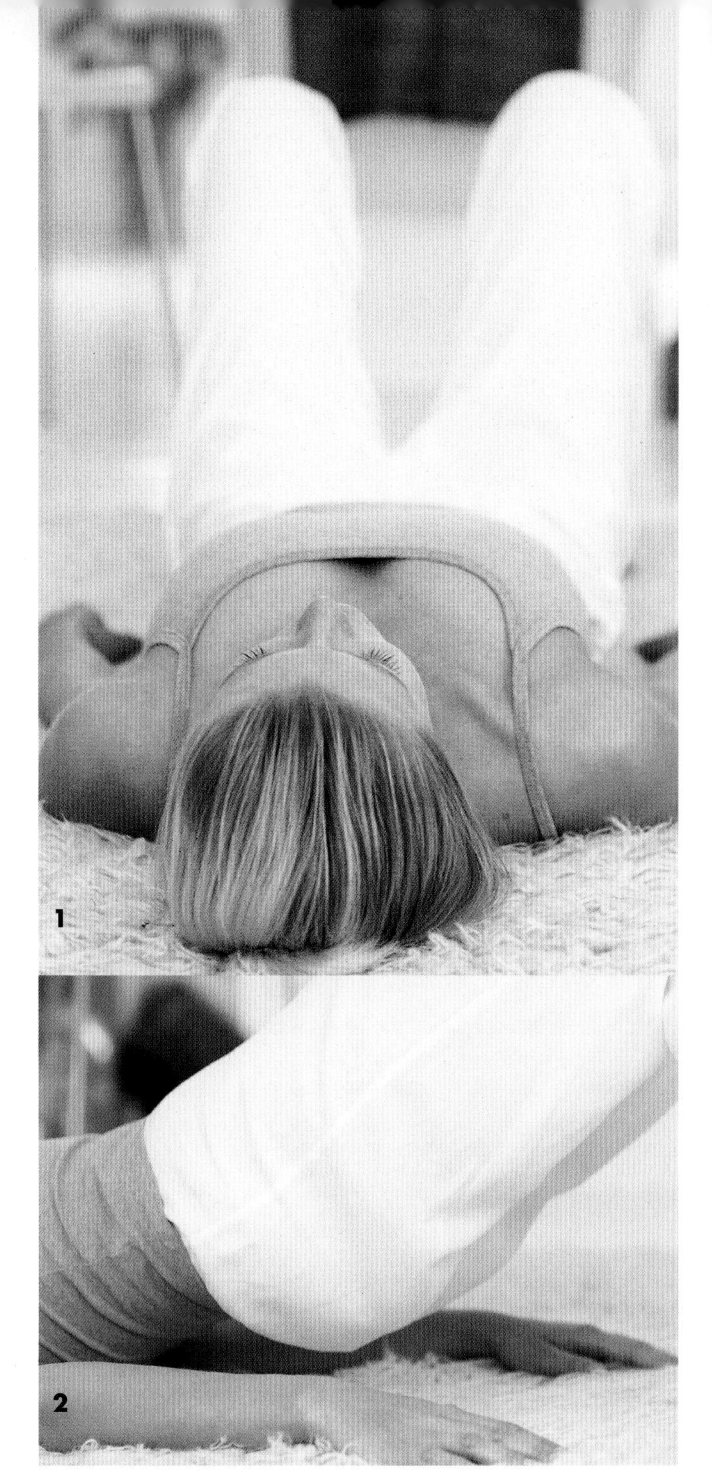

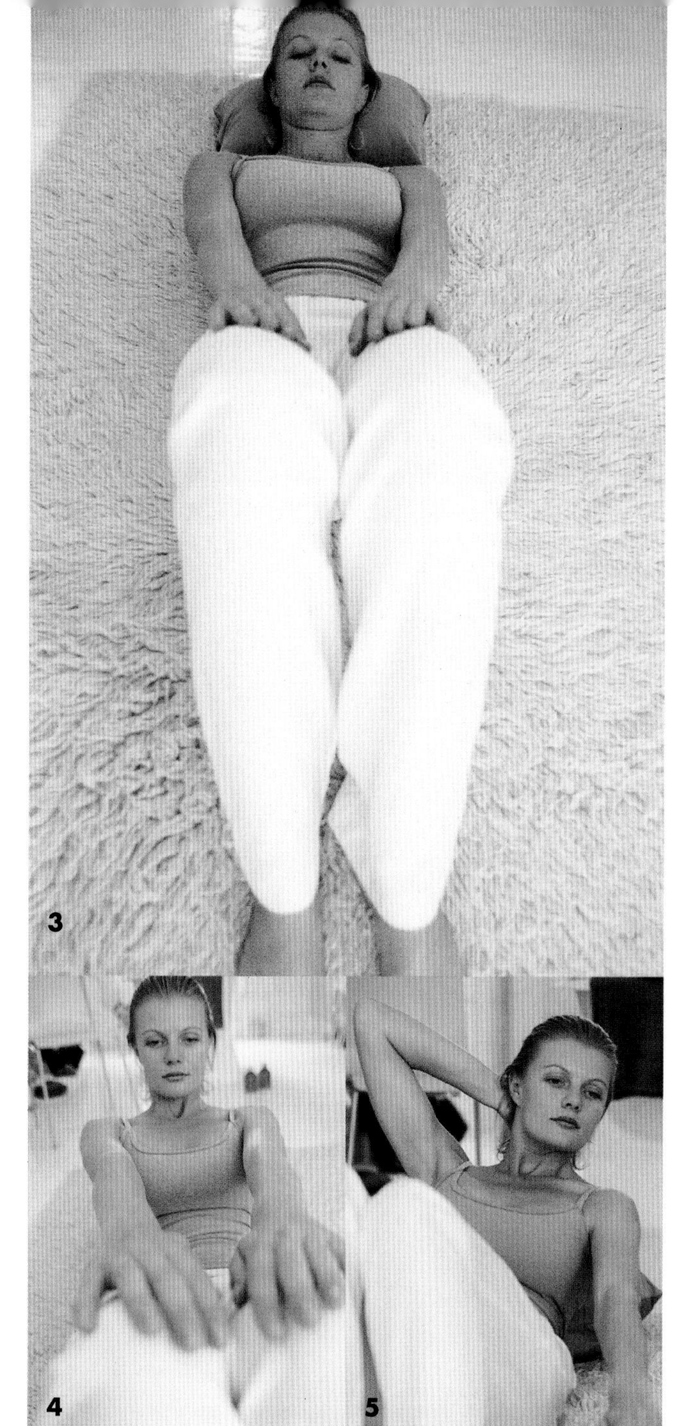

3 Túmbate en el suelo en la misma posición que en el punto 1. Si te resulta más cómodo, puedes ponerte un cojín bajo la cabeza y los hombros. Pon las manos en los muslos.

4 Inspira y, al espirar, contrae ligeramente la barriga de modo que el ombligo se acerque a la columna vertebral y desliza lentamente los dedos por los muslos hacia las rodillas. Al hacerlo, la cabeza y los hombros empezarán a levantarse del suelo, aunque no esperes llegar muy arriba. Es más importante usar bien los músculos que levantarse mucho del suelo. Una vez más, si los abdominales empiezan a temblarte es que estás forzando demasiado.

- Cuando hayas llegado lo más arriba posible con los dedos, vuelve a poner las manos en los muslos, inspira y deslízalas hasta llegar al suelo. Repite todo el ejercicio 10 veces.

5 Túmbate en el suelo en la misma posición inicial que en el punto 4, sólo que esta vez tienes que poner la mano derecha bajo la cabeza y la izquierda en el suelo, con el brazo extendido al lado del cuerpo.

- Inspira y, al espirar, contrae ligeramente la barriga de modo que el ombligo se acerque a la columna vertebral, y desliza la mano izquierda por el suelo en dirección a los pies. Al hacerlo notarás cómo la cabeza y el hombro izquierdo se levantan del suelo. Llega hasta donde te sea posible, sin dejar de contraer el ombligo. Vuelve a la posición inicial y repite la operación, esta vez con la mano derecha. Realiza el ejercicio 10 veces en cada lado.

Ejercicios de piernas y glúteos

1 Túmbate en el suelo sobre el lado derecho, con la espalda pegada a la pared. Levanta el brazo derecho y póntelo debajo de la cabeza. Si te resulta más cómodo puedes utilizar un cojín. Comprueba que la pierna izquierda se prolonga en línea recta desde tu cuerpo. Dobla la rodilla derecha al máximo.

2 Inspira y, al espirar, levanta la pierna izquierda muy lentamente, con la espalda pegada a la pared. Con la mano derecha asegúrate de que no mueves la cadera. Inspira y baja la pierna. Repite la operación 10 veces y luego haz lo mismo con la pierna derecha.

3 Ahora encoge la pierna de arriba y continúa con la espalda pegada a la pared. Estira la pierna de abajo hasta que forme una línea recta con el cuerpo.

- Inspira y, al espirar, contrae ligeramente la barriga de modo que el ombligo se acerque a la columna vertebral y mueve muy lentamente arriba y abajo la pierna que tienes estirada. Repite la operación con la otra pierna. Realiza el ejercicio 10 veces con cada pierna.

Ejercicios para tonificar los brazos

1 Túmbate de espaldas, con las rodillas en alto y los pies en el suelo, ligeramente separados. La columna vertebral debe estar en contacto total con el suelo, y el cuello y los hombros, relajados. Coge un peso de aproximadamente 1 kg en cada mano y coloca los brazos a los lados.

2 Levanta los brazos arqueándolos hasta formar un círculo completo. Inspira y, al espirar, haz que el ombligo se acerque a la columna vertebral. Inspira de nuevo y abre los brazos hacia los lados, sin perder la forma curvada. Espira y recupera la posición. Repite la operación 10 veces.

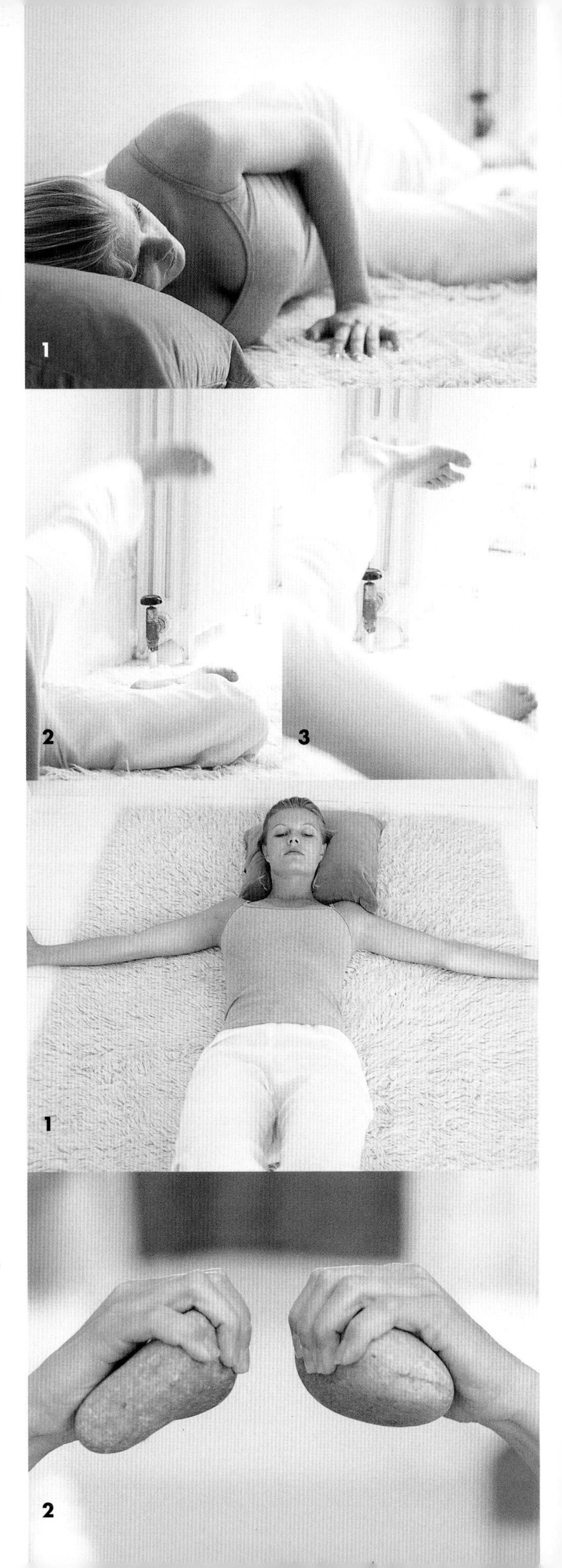
1
2
3
1
2

sábado 15:00 **drenaje linfático manual**

Cualquier tipo de masaje es bueno para relajarse. Sin embargo, para este fin de semana, existe uno que contribuye especialmente al proceso de eliminación de toxinas y, además, ayuda a lograr una sensación de bienestar. Se trata del drenaje linfático manual (DLM) y es una técnica de masaje muy suave y rítmica que estimula el sistema linfático, con lo que se acelera el proceso de eliminación de toxinas. Hoy se puede conseguir fácilmente un DLM: si asistes a algún gimnasio o a alguna piscina en la que se hagan masajes, pregunta si alguno de los masajistas practica el DLM y pide hora para que te hagan uno.

El sistema linfático es similar al sistema circulatorio, y la diferencia principal entre ambos es que el sistema linfático no tiene un órgano central que lo mantenga en funcionamiento, como es el caso del corazón en el sistema circulatorio, sino que la linfa se mueve como consecuencia de la contracción y la relajación de los músculos. Mantener la linfa en movimiento es vital, ya que tiene un papel fundamental en la buena salud del sistema inmunológico. Para decirlo en pocas palabras, es el sistema de recogida de basura del cuerpo humano. Se encarga de liberar las toxinas y las células muertas, las partículas de contaminación y los antibióticos. Estimular el sistema linfático también hace que eliminemos toxinas más eficientemente.

El drenaje linfático manual acelera el funcionamiento del sistema linfático y con ello se reducen muchos de los síntomas que aparecen cuando éste está saturado. Entre esos síntomas se encuentran la retención de líquidos, la celulitis y la tensión premenstrual. Se trata también de una terapia relajante, y el masaje suave que se aplica la hace ideal para cuando uno hace ayuno y está especialmente sensible.

Si no logras encontrar un masajista que sepa hacer DLM, hay algunas maneras muy efectivas de estimular el sistema linfático. Una de ellas es el rebote (saltar en un pequeño trampolín) durante 10 o 15 minutos. Si no, una buena caminata es también un método excelente para estimular la linfa. Y cuanto más agradable sea el entorno, mejor será el paseo. Ve a la montaña, a la playa o a un parque. Vístete con ropa ancha y cómoda, y ponte zapatos planos. Anda a buen ritmo, pero sin hacer *jogging*. Disfruta del paisaje, respira profundamente y camina por lo menos durante una hora.

Después de eso, dedica el resto del día a relajarte. Entre el tiempo que dediques al descanso y los zumos, deberías encontrar un momento para otra sesión de visualización de 20 minutos. Antes de irte a la cama, si te apetece, puedes darte un baño relajante para empezar con buen pie una noche de sueño reparador. Puedes tomar un baño de arcilla como el del viernes por la noche (páginas 18-19) o un baño de sales de epsomita (página 47). Si, por el contrario, te apetece algo un poco más sensual, puedes probar el baño de aromaterapia del fin de semana de relajación (páginas 56-57). Elijas lo que elijas, conviene que hacia las 22:00 ya estés en la cama.

domingo

8:00
Tónico corporal

9:00
Desayuno

11:00
Natación, sauna y baño de vapor

13:00
Comida

15:00
Limpieza capilar y facial

18:00
Cena

20:00
Baño de sales de epsomita

22:00
Dormir

Hoy vas a ingerir comida sólida, pero seguirás eliminando toxinas porque comerás sólo alimentos crudos, y alguna fruta y verdura ligeramente cocinada. Bebe tanta agua como ayer e incluye infusiones cuando te apetezca. Cuanto mayor sea la cantidad de líquido que tomes, más rápido desaparecerán las toxinas de tu organismo.

Cualquier tipo de fruta es apropiado para desayunar. Puedes mezclar la fruta que te guste y que tenga buen aspecto cuando vayas a comprar. En la medida de lo posible, intenta comprar productos biológicos y fruta madura, que es cuando está más rica. Puedes beber zumos de fruta o infusiones. Lo que sigue no son más que alternativas.

Tentación tropical

1 mango
½ piña o 1 piña pequeña
6 fresas
4 cucharadas de zumo de piña
miel al gusto (opcional)

1 Pela el mango y la piña y, tras quitar el corazón de ésta, córtalos a dados. Pela también las fresas.

2 Rocía la fruta con el zumo de piña y déjala en remojo durante 30 minutos. Si la fruta está madura ya sabrá lo bastante dulce.
Sin embargo, si te resulta demasiado ácida puedes añadirle algo de miel.

Higos rellenos

3 higos maduros
1 cucharada de almendras molidas
25 g de frambuesas
miel al gusto (opcional)

1 Sácale el rabito a los higos, hazles un corte en forma de cruz en la parte de arriba y ábrelos con cuidado.

2 Mezcla las almendras y las frambuesas y, con una cucharilla, mételas dentro de los higos. Si lo deseas, puedes añadir un poco de miel para que esté más dulce.

Kiwi con jengibre

½ melón francés sin pepitas
1 kiwi cortado a rodajas finas
250 g de uvas blancas partidas por la mitad
½ cucharadita de raíz de jengibre rallada
4 cucharadas de zumo de manzana

1 Corta el melón por la mitad, quítale las pepitas y la cáscara. Corta la pulpa en dados o haz bolas con una cuchara de helado.

2 Pon el melón, el kiwi y las uvas en un bol. Esparce el jengibre y rocíalo todo con el zumo de manzana. Sírvelo inmediatamente.

desayunos

domingo 11:00
natación, sauna y baño de vapor

Para la sesión de hidroterapia del domingo deberás ir al gimnasio o a la piscina. Lo ideal sería encontrar un polideportivo con piscina, sauna y sala para baños de vapor. Sin embargo, siempre puedes improvisar. La alternativa, si no tienes cerca una piscina, o simplemente no te apetece ir, es repetir la sesión de hidroterapia de ayer en casa.

Natación

La natación es el ejercicio ideal para el fin de semana dedicado a eliminar toxinas. Si al nadar se alternan los estilos, se utilizan la mayoría de los grupos de músculos, pero como éstos y las articulaciones trabajan dentro del agua, el sobreesfuerzo no tendrá sobre tu cuerpo el efecto negativo que tendría si lo realizaras en una clase de aeróbic. No es necesario nadar muy deprisa ni hacerlo durante mucho tiempo y, si vas alternando la piscina con otras técnicas de hidroterapia, te notarás profundamente relajada tanto física como mentalmente.

Si tienes las articulaciones poco flexibles puedes hacer algunos ejercicios en el agua que te resultarán muy beneficiosos. Al trabajar contra la resistencia del agua, también te ayudarán a mejorar el tono muscular. Calienta primero haciendo un par de largos y cada vez que empieces a tener frío, nada un poco.

Ejercicios para piernas y caderas

1 Ponte al lado de la pared de la piscina y agárrate al borde. Mantén la espalda recta y levanta la pierna de fuera hacia delante y hacia atrás hasta donde llegues. Hazlo 10 veces con cada pierna.

2 Anda sin moverte de sitio y nota cómo tu pie se va posando en el suelo de la piscina, desde el dedo gordo hasta el talón, cuando lo apoyas. Trata de levantar cada vez un poco más las rodillas. Si puedes, al cabo de un par de minutos, corre en lugar de andar. Sigue corriendo durante dos minutos más.

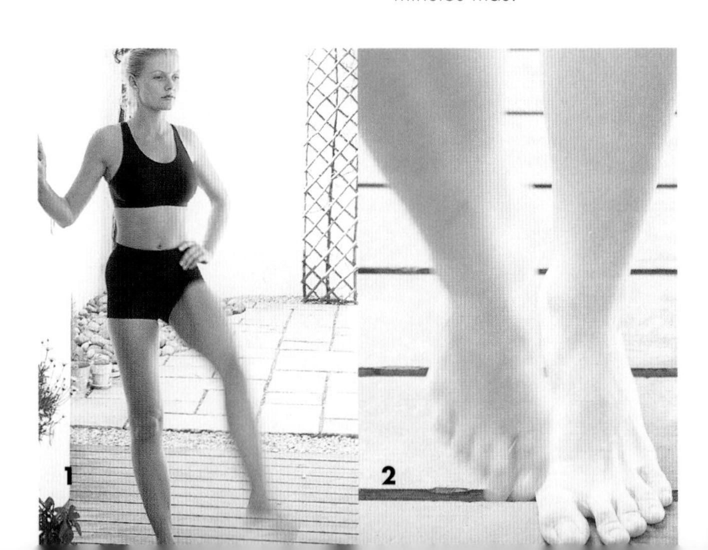

Ejercicios para el torso

1 Aléjate del borde de la piscina, separa las piernas y pon los brazos en jarras.

2 Haz una rotación de torso completa hacia la derecha y luego hacia la izquierda. Repite el movimiento 10 veces, una vez hacia cada lado.

3 Con los hombros bajo el agua (si no hay mucha profundidad, puedes arrodillarte), pon los brazos en cruz, sin sacarlos del agua.

4 Con los brazos ligeramente curvados, junta las manos venciendo la resistencia del agua. Al hacerlo, en el espacio que quede entre tus brazos debería caber un balón de playa. Repite el movimiento 10 veces.

Sauna y baño de vapor

Alternando la sauna y los baños de vapor con duchas de agua fría y largos en la piscina se logra el efecto del principio hidroterápico que consiste en estimular la circulación sanguínea y linfática mediante el cambio de temperatura. Por supuesto, en la sauna y durante los baños de vapor eliminarás toxinas mediante el sudor, de modo que eso también te ayudará a lograr el propósito de este fin de semana.

Muchos polideportivos tienen sauna y baños de vapor. Lo ideal sería que la sauna y los baños de vapor estuvieran justo al lado de la piscina. No olvides que una dieta ligera combinada con cambios repentinos de temperatura puede provocarte un ligero mareo, de modo que ve de un lado a otro despacio. Si te apetece nadar un buen rato, hazlo en primer lugar.

Si, por la razón que sea, sólo puedes hacerlo por la tarde, asegúrate de que hayan pasado por lo menos un par de horas desde la última vez que comiste. Quítate las joyas y lleva la menor cantidad de ropa posible; aumentará los efectos beneficiosos.

Durante un rato, alterna cinco o diez minutos de calor con dos largos en la piscina. Si no hay piscina, date una ducha fría y descansa unos minutos antes de volver al tratamiento de calor. Bebe mucha agua durante todo el proceso. Sécate con suavidad y descansa tumbada antes de vestirte e irte a casa.

ensaladas

Comida y cena

La comida y la cena del sábado consisten en una ensalada. Durante la semana posterior a este fin de semana sería muy positivo que por lo menos una de las comidas de cada día fuera una ensalada, y también que bebieras mucha agua. De esa forma el proceso de eliminación de toxinas se prolongaría unos días. Las recetas que figuran a continuación son para cuatro raciones pequeñas o dos grandes. Por supuesto, puedes comer dos ensaladas pequeñas en la misma comida.

Ensalada mixta continental

1 lechuga roja de «hoja de roble», deshojada
½ escarola, deshojada
50 g de ruca
50 g de hierba de los canónigos
un puñado de hierbas (eneldo, cebollino y albahaca)
1 cebolla roja cortada en rodajas finas
1 aguacate grande y maduro
1 cucharada de zumo de limón
25 g de piñones tostados
un puñado de flores de capuchina (opcional)
sal
pimienta
un poco de aliño de estragón (véase ensalada Jersey Royal en la página siguiente)

1 Corta las hojas de la lechuga «hoja de roble» y las de escarola en pedacitos. Mételos en un bol grande para ensalada con la ruca, la hierba de los canónigos y la cebolla.

2 Pela el aguacate, pártelo por la mitad y deshuésalo. Corta la carne del aguacate y mételo en un bol aparte con el zumo de limón. Remuévelo un poco.

3 Justo antes de servir añade el aguacate, los piñones y las flores a la ensalada y salpiméntala al gusto. Rocíala con el aliño de estragón y remuévela un poco.

Ensalada Jersey Royal con apio

500 g de patatas pequeñas Jersey Royal limpias
6 tallos de apio con hojas
75 g de aceitunas negras
3 cucharadas de alcaparras, limpias y secas
unas ramitas de perejil troceadas
sal
pimienta
Aliño de estragón:
2 cucharadas de estragón
vinagre
1 cucharadita de cáscara de limón rallada
¼ de cucharadita de mostaza de Dijon
5 cucharadas de aceite de oliva
sal
pimienta

1 Pon a hervir un cazo con agua. Cuando hierva, echa las patatas y déjalas unos 12 minutos hasta que se ablanden. Escúrrelas y déjalas enfriar.

2 Corta los tallos de apio en diagonal y desmenuza las hojas. Mételos en un bol con las aceitunas, las alcaparras y el perejil. Añade las patatas hervidas y salpimenta al gusto.

3 Para preparar el aliño, bate todos los ingredientes hasta que queden bien mezclados. Rocía la ensalada con la mezcla resultante, remueve bien y sirve.

Hierba de los canónigos con mango y menta

1 mango grande
1 cucharada de menta picada
1 cucharada de zumo de lima
250 g de hierba de los canónigos
125 g de anacardos tostados
un puñado de hojas y flores de capuchina
Salsa de yogur:
150 ml de yogur natural
1 cucharada de zumo de limón
1 cucharada de miel pura
½ cucharadita de mostaza de Dijon
sal
pimienta

1 Pela y deshuesa el mango y córtalo en trocitos pequeños. Ponlos en un bol con la menta y el zumo de lima y mézclalo todo bien.

2 Pon la hierba de los canónigos en una fuente para ensaladas. Añádele el mango que has preparado y los anacardos.

3 Para preparar la salsa, bate todos los ingredientes juntos hasta que estén bien mezclados. Vierte la salsa sobre la ensalada y remueve ligeramente. Adórnalo con flores y hojas de capuchina.

Ensalada campestre con fresas

250 g de diversos tipos de vegetales de hoja como, por ejemplo, diente de león, ruca, lechuga de «hoja de roble», capuchina y canónigos
un puñado de hierbas como, por ejemplo, hinojo, tallos de cebollino, eneldo y menta
250 g de fresas
un poco de aliño de estragón (véase ensalada Jersey Royal con apio en la página 39)
sal
pimienta

1 Trocea las hojas de las lechugas y ponlas en una fuente para ensalada. Esparce las hierbas sobre ellas.

2 Parte las fresas por la mitad y échalas en la ensalada. Añade un poquito de sal y pimienta.

3 Rocía la ensalada con el aliño y mézclalo todo un poquito.

ensaladas

Ensalada de judías verdes y albaricoque

500 g de judías verdes sin las hebras ni las puntas
6 albaricoques maduros partidos por la mitad, deshuesados y cortados
unas ramitas de perejil picado
1 cucharada de estragón picado
un poco de aliño de estragón (véase ensalada Jersey Royal con apio en la página 39)
sal
pimienta
25 g de hojuelas de almendras tostadas para la guarnición

1 Hierve las judías durante 2 o 3 minutos en una cazuela con agua. Escúrrelas bien y mételas en una fuente para ensalada.

2 Añade los trocitos de albaricoque a las judías y luego el perejil y el estragón. Salpiméntalo.

3 Vierte el aliño por encima de la ensalada y remuévela ligeramente. Aderézala con las almendras picadas y sírvela.

Ensalada verde con nueces

Una fuente grande con hojas de diversos tipos de lechugas, como por ejemplo ruca, achicoria y espinacas.
½ cebolla dulce cortada
50 g de nueces
Aliño:
un poco de aliño de estragón (véase ensalada Jersey Royal con apio en la página 39), con aceite de nuez en lugar de aceite de oliva.

1 Corta las hojas y ponlas en una fuente junto con la cebolla.

2 Tuesta ligeramente las nueces en una sartén, pícalas y deja que se enfríen.

3 Para preparar el aliño, bate todos los ingredientes hasta que estén bien mezclados.

4 Añade las nueces a la ensalada y vierte el aliño encima. Remuévelo todo ligeramente para mezclarlo.

Ensalada de pimientos a la parrilla

2 pimientos rojos
2 pimientos amarillos
2 pimientos verdes
2 dientes de ajo picados
1 cucharada de perejil picado
2 ramitas de albahaca picadas
5 cucharadas de aceite de oliva virgen extra
2 cucharaditas de vinagre balsámico
sal
pimienta
hojas de albahaca para la guarnición

1 Precalienta el grill. Pon los pimientos enteros en el recipiente del grill y ásalos, dándoles la vuelta de vez en cuando, hasta que la piel esté negra, para lo que necesitarán unos 20 minutos. Mete los pimientos en una bolsa de plástico y ciérrala. Deja que se enfríen.

2 Cuando estén lo bastante fríos como para poderlos manejar, y sobre un bol para recoger el jugo que suelten, quítales la piel carbonizada. Extrae también el corazón y las pepitas.

3 Corta la pulpa de los pimientos en tiras largas y finas y disponlas en una bandeja honda. Echa el ajo picado, el perejil y la albahaca sobre el pimiento y salpiméntalo.

4 Vierte el aceite y el vinagre balsámico en la ensalada y sírvela, aderezada con las hojas de albahaca.

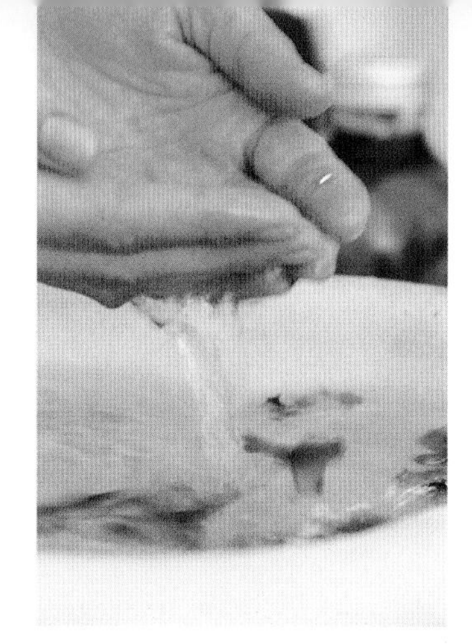

domingo 15:00 limpieza capilar y facial

El tratamiento de tarde consiste en una limpieza profunda y relajante de la piel y el cabello que te ayudará a eliminar toxinas, muchas de las cuales desaparecerán a través de la piel durante el proceso de eliminación. Para acelerar dicho proceso continúa bebiendo toda el agua que puedas.

Tratamiento capilar

Aplica el tratamiento capilar antes de limpiarte la cara ya que, debido a su contenido en sustancias aceitosas, es muy probable que quieras lavarte el pelo una vez hayas acabado. Si no, puedes dejarlo actuar toda la noche y quitártelo cuando te duches por la mañana. Escoge el tratamiento en función de tu tipo de cabello, hazlo penetrar bien mediante un masaje y después envuélvete la cabeza en una toalla durante el resto de la sesión. Los aceites de tratamiento para cabello graso, seco o castigado aparecen en la página 88.

Un estimulante del crecimiento del cabello puede resultar beneficioso si tu pelo es muy fino o si has perdido pelo como consecuencia del nacimiento de un hijo, del estrés o de la reacción a una enfermedad o a medicamentos. Pon 10 gotas de aceite de romero, 10 gotas de aceite de lavanda y 5 gotas de aceite de sándalo en 50 ml de aceite base y masajéate el cuero cabelludo con la mezcla.

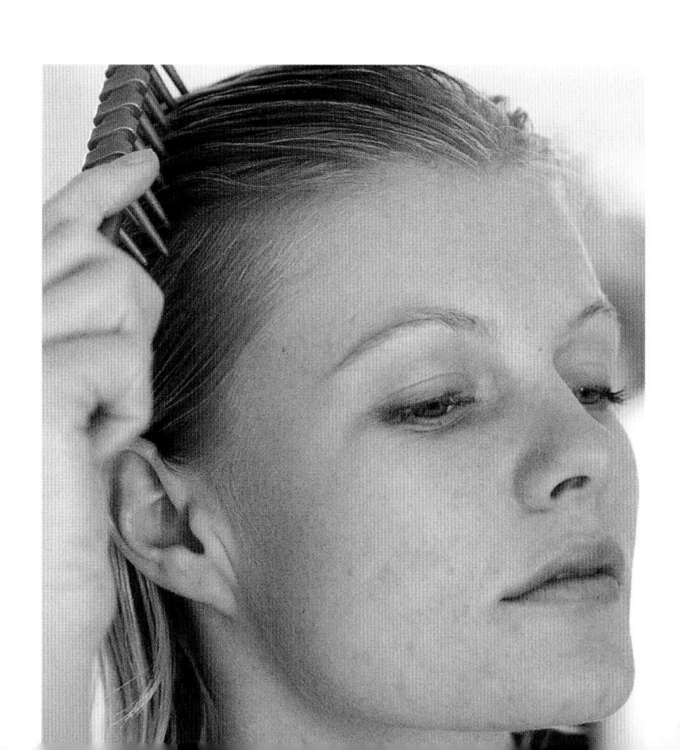

Limpieza facial

Para realizar esta limpieza facial puedes utilizar productos caseros, comprarlos o hacer una mezcla de ambos. Sigue atentamente los pasos que se indican en función de tu tipo de piel.

1 Límpiate a fondo la cara y el cuello para eliminar cualquier resto de maquillaje, suciedad y contaminación atmosférica. Puedes utilizar tanto un limpiador al agua como una crema limpiadora que se retire con un algodón, pero en ningún caso debes utilizar jabón. Si utilizas un limpiador al agua, sírvete de una esponjita facial para extenderlo por toda la cara con pequeños movimientos circulares, de modo que realices una mini-exfoliación.

2 Sea cual sea el método de limpieza facial que hayas utilizado, échate agua fría en la cara y el cuello unas 20 veces. Sécate sin frotarte la piel.

3 La exfoliación requiere un limpiador granulado que penetre con profundidad en la piel y elimine las células muertas y secas de la epidermis. Existen muchas marcas comerciales de productos exfoliantes que se presentan en forma de gel, líquidos, cremas y pastas. Escoge uno que se extienda con facilidad para no hacerte daño en la piel. También puedes prepararlo tú misma mezclando una cucharadita de yogur, otra de copos de avena triturados y otra de miel. Aplícate la mezcla con movimientos circulares hasta que la cara y el cuello queden cubiertos por completo, y retírala echándote agua templada unas 20 veces. Sécate sin frotar.

- Aplícate una mascarilla limpiadora en la cara y el cuello, evitando el contorno de los ojos. Eso limpiará la piel en profundidad, extraerá las impurezas y cerrará los poros. En el mercado existen muchas mascarillas entre las que puedes elegir una en función de tu tipo de piel. Si lo prefieres, también puedes elaborarla tú a partir de ingredientes naturales (véase página 88).

4 Aplícate una compresa de manzanilla en los ojos (véase página 89), estírate y relájate.

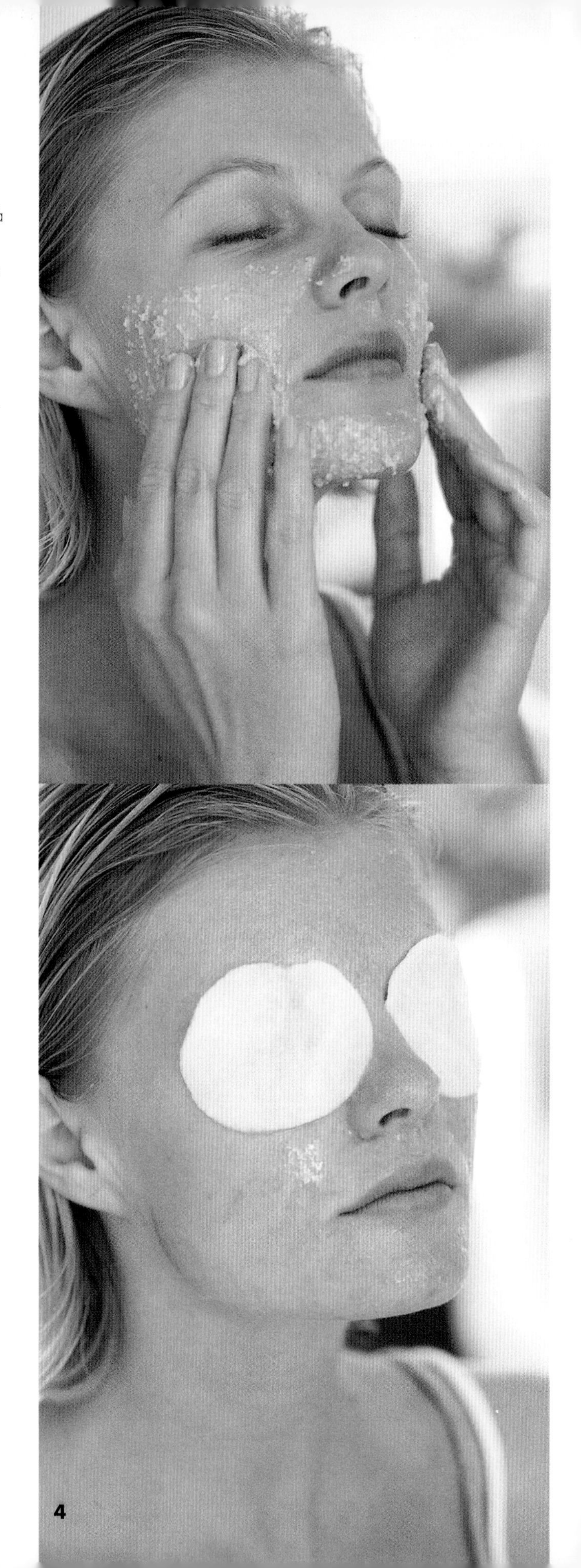

4

5 Retira la mascarilla y pulverízate la cara y el cuello con el tónico facial suave (véase página 88). Aplícate una crema hidratante (una vez más, puedes preparar tu propia versión de aromaterapia: prueba los aceites esenciales para la piel que aparecen en la página 88) o simplemente ponte una fina capa de vaselina sobre la cara y el cuello.

6 Relájate hasta la hora de la cena.

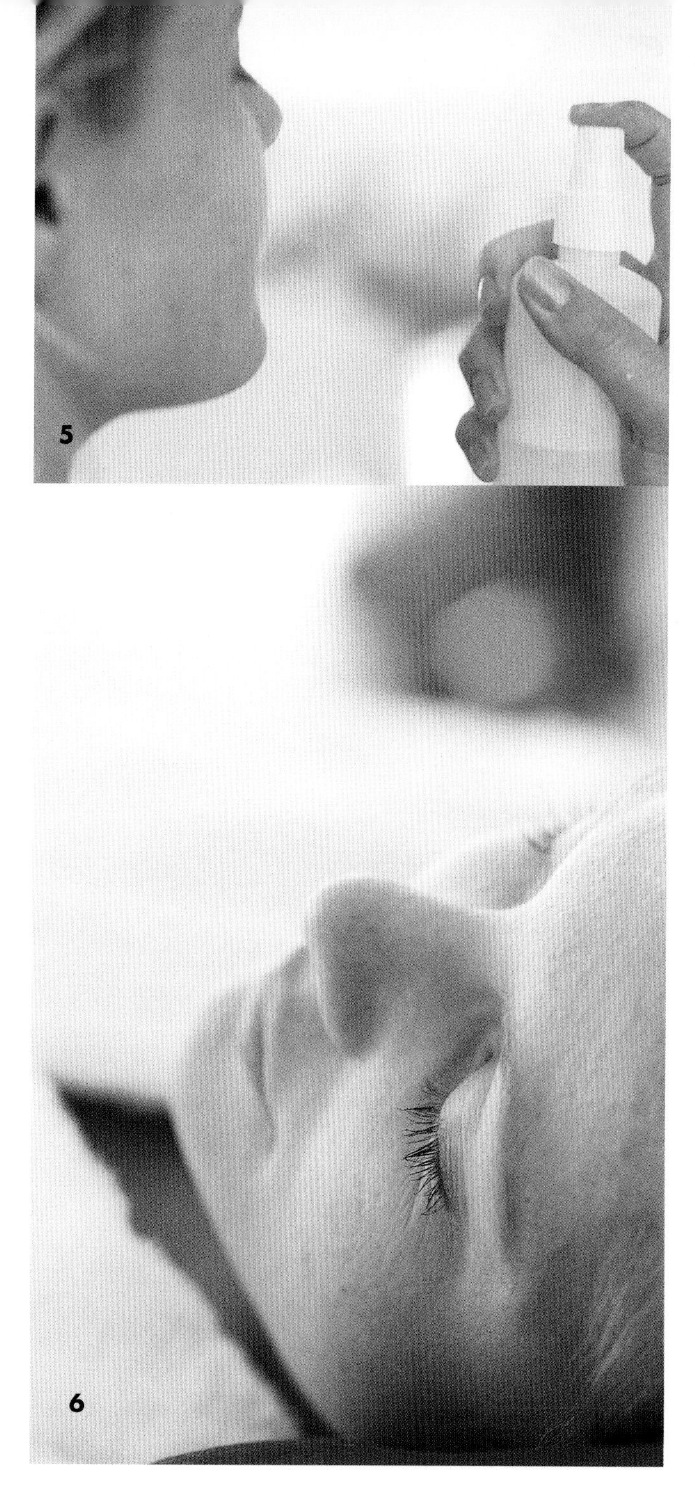

5

6

domingo 15:00 limpieza capilar y facial

domingo 20:00 baño de sales de epsomita

Puede que la idea de tomar un baño de sales de epsomita (sales que se encuentran disueltas en el agua de fuentes minerales como las de Carabaña, la Higuera o Epsom) no te parezca demasiado atractiva para acabar tu fin de semana. Sin embargo, es uno de los tratamientos nocturnos más purificadores y relajantes que existen, debido a que el magnesio que contienen las sales de epsomita calienta y calma el cuerpo, de modo que las articulaciones y los músculos se relajan. Al mismo tiempo, experimentarás un calor intenso, tu temperatura subirá y así liberarás más toxinas por medio del sudor.

Las sales de epsomita pueden comprarse en algunas farmacias y tiendas naturistas. Si tienes algún problema para encontrarlas, puedes sustituirlas por hierbas y especias: el jengibre, la salvia y la pimienta de cayena tienen un efecto similar en lo que a elevar la temperatura corporal se refiere.

Atención: No utilices sales de epsomita si tienes eccemas, psoriasis, o piel agrietada. En su lugar, repite el baño calmante de aromaterapia (véase página 56).

Sería conveniente que en el cuarto de baño el ambiente fuera cálido y que tuvieras a mano muchas toallas. Normalmente, las sales vienen envasadas en paquetes de 2 kg; vierte todo el contenido en el agua. Aunque te lleve algo de tiempo conseguirlo, asegúrate de que las sales están totalmente disueltas antes de meterte en el agua.

Ponte en remojo en la bañera al menos durante cinco minutos. Empezarás a sudar abundantemente, pero no te preocupes; es una reacción normal que forma parte del proceso de eliminación de toxinas y relajación del cuerpo.

Coge una esponja de sisal o una manopla de baño y, empezando por los pies, masajea a fondo la zona realizando movimientos circulares. No intentes ir muy deprisa, ya que podrías acalorarte demasiado. Continúa el masaje por las piernas, después ponte de rodillas para trabajar la zona de las nalgas y, más suavemente, el abdomen. Siéntate y masajea con cuidado la parte superior del torso, evitando los pechos, y la parte de la espalda a la que llegues.

Vuelve a tumbarte y, si puedes, relájate durante otros cinco minutos. Si te parece que tienes demasiado calor, sal de la bañera inmediatamente. Envuélvete en las toallas y sécate con suavidad, sin frotarte la piel. Cuando estés seca, métete en la cama y prepárate para una larga noche de descanso.

Un poco de estrés a corto plazo no es tan malo; si lo planteamos como un reto, incluso puede llegar a motivarnos. No obstante, a largo plazo puede causarnos todo tipo de dolencias tanto físicas como emocionales, desde migraña hasta depresión, pasando por eccemas y acidez de estómago.

Uno de los efectos secundarios del estrés, y también una de sus causas, es la falta de tiempo para dedicarnos a nosotras mismas. Estamos tan ocupadas que nos olvidamos de relajarnos, o somos incapaces de hacerlo. El objetivo de este fin de semana es invertir esa tendencia. No sólo te dedicarás tiempo y vivirás entre algodones, sino que aprenderás diversas técnicas para combatir el estrés. Y lo ideal sería que las incorporaras a tu vida diaria.

El fin de semana

Echa un vistazo a las recetas de este fin de semana (en las páginas 52-55, 66-67 y 72-75) y haz una lista de la comida y la bebida que necesitas comprar por adelantado. Preparar de antemano todas las cosas que puedas es una buena idea para trabajar lo menos posible durante el fin de semana en cuestión. Por ejemplo, puedes preparar todas las sopas antes y congelarlas hasta que las necesites. La semana anterior también puedes preparar una cinta de relajación (mira en las páginas 68-71). Si decides acudir a un profesional para que te dé el masaje del domingo, piensa en pedir hora con antelación.

viernes

19:00
Meditación

20:00
Cena

21:00
Baño de aromaterapia

22:00
Automasaje para dormir

sábado

8:00
Yoga

9:00
Desayuno

10:00
Relajación y meditación

12:00
Comida

14:00
Masaje

16:00
Masaje facial

18:00
Cena

20:00
Técnicas de respiración y meditación

22:00
Dormir

domingo

8:00
Yoga, relajación y meditación

9:00
Desayuno

11:00
Digitopuntura

13:00
Comida

15:00
Aromaterapia facial

16:00
Meditación

18:00
Cena

20:00
Baño de aromaterapia

22:00
Dormir

fin de semana de **relajación**

viernes

19:00
Meditación
20:00
Cena
21:00
Baño de aromaterapia
22:00
Automasaje para dormir

viernes 19:00 **meditación**

Existen numerosas técnicas de relajación para superar el estrés puntual y las tensiones de la vida moderna. Sin embargo, un estrés prolongado es un caso totalmente distinto, que se manifiesta con hipertensión, altos niveles de colesterol, ansiedad, depresión e insomnio. Superar esos problemas requiere un tipo de relajación más profunda que haga desaparecer el estrés intenso del cuerpo y de la mente.

Practicar la meditación regularmente ha resultado ser la forma más efectiva para lograr una relajación profunda. Hay una considerable cantidad de investigaciones médicas, encaminadas a estudiar las manifestaciones de estrés más dramáticas y evidentes, como las enfermedades de corazón, de las cuales se desprende que la meditación provoca una reducción sustancial de la presión sanguínea y de los niveles de colesterol. En otros tests clínicos se observa que el riesgo de sufrir buena parte del deterioro físico y psíquico asociado con el envejecimiento se reduce considerablemente practicando regularmente la meditación. Sin embargo, la meditación no se reduce a una mera profilaxis; otras de sus consecuencias positivas son:

- relajación física
- aumento del nivel de concentración
- mayor tranquilidad y capacidad para combatir el estrés
- mayor conciencia
- aumento de la creatividad y de la memoria

Prepararse para la meditación

La meditación no es solamente ensoñación o relajación, es una disciplina que prepara la mente para lograr un gran nivel de concentración. Lo máximo a lo que puedes aspirar durante este fin de semana es a hacerte una idea de cómo es la meditación. En la primera lección, la meditación te puede parecer algo raro, pero si la practicas con un ritmo regular a lo largo de estos tres días, tal vez los beneficios que te reporte harán que decidas seguir practicándola.

Lo más importante que hay que recordar cuando se está aprendiendo a meditar es que resulta inevitable que algunos pensamientos te invadan la mente, de modo que no te obsesiones con eso; no se trata de que obligues a la mente a concentrarse en una imagen concreta. De hecho, de lo que se trata es de liberarse del pensamiento consciente. Cuando un pensamiento entre en tu mente, limítate a observar su presencia, no realices ningún juicio acerca de él y, sobre todo, no te irrites contigo misma por tenerlo. Reconoce el pensamiento, deja que se marche y vuelve a concentrarte en la respiración, o en la palabra o la imagen sobre la cual estés meditando.

Para meditar debes estar cómoda pero alerta. También deberías evitar que te molestaran. Descuelga el teléfono, encuentra un sitio tranquilo, ponte ropa ancha y cómoda y quítate los zapatos. Puedes sentarte en una silla con respaldo o en el suelo, con las piernas cruzadas. Lo importante es que te sientes con la espalda erguida y estés quieta durante 20 minutos.

Antes de empezar, respira lenta y profundamente e intenta liberarte de cualquier tipo de tensión. Busca en tu interior pensamientos y preocupaciones inmediatas y déjalas de lado para así vaciar tu mente.

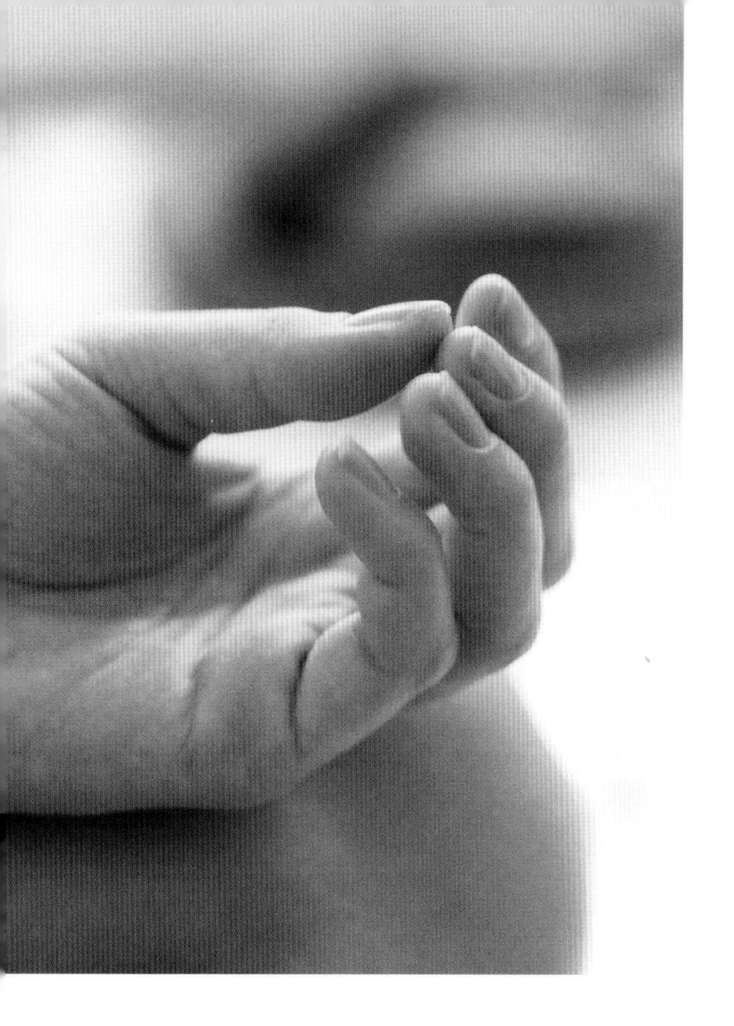

Técnicas de meditación

Puedes usar varias técnicas. Más adelante verás dos sugerencias distintas. Durante el fin de semana puedes probarlas las dos para ver si una te va mejor que la otra. No obstante, en condiciones normales le dedicarías 10 días a cada una de ellas antes de decidirte por una en concreto. Cuando hayas encontrado el método que te guste más deberías ponerlo en práctica regularmente. Trata de llevar a cabo todas las sesiones de meditación a la misma hora y en el mismo lugar. A medida que vayas cogiendo práctica podrás meditar estés donde estés y a cualquier hora.

La respiración

Cierra los ojos y toma conciencia de tu respiración. Respira profundamente para sentir cómo tu abdomen sube y baja, y ve contando cada inspiración o espiración. Inspira al contar uno, espira al contar dos, inspira al contar tres, etcétera. Tu respiración debería ser regular y puedes contar bien al notar el aire entrar por la nariz, bien al notar como tu abdomen sube y baja. Si te pierdes (y te perderás), vuelve a empezar.

El mantra

Se trata de repetir una palabra en silencio. Puede ser una palabra que tenga un significado especial para ti, como por ejemplo *paz,* o una cuyo sonido tenga una resonancia especial; el más conocido es *om*, pronunciado al tiempo que se exhala el aire muy lentamente. El objetivo es lograr un estado en el que el sonido y su resonancia llenen tu mente.

Cuando hayas acabado, deja que aquello sobre lo que meditabas vaya desapareciendo lentamente y que tu mente vaya volviendo a la realidad. Respira profundamente unas cuantas veces y toma conciencia de tu cuerpo y de lo que siente y, gradualmente, también de las cosas y los ruidos que te rodean. Finalmente, abre los ojos, pero quédate quieta aún unos minutos más.

Durante el fin de semana puedes fijar una rutina de meditación (por la mañana y por la tarde) de cara al futuro. La meditación será especialmente efectiva si la llevas a cabo tras haber hecho un poco de ejercicio suave, pero evita meditar durante por lo menos una hora después de las comidas. Si sientes que las sesiones te reportan beneficios inmediatos, puedes añadir una sesión extra a lo largo del día.

Almuerzo y cena

Existen numerosas técnicas y tratamientos que te ayudarán a relajarte tanto física como mentalmente, y dentro de ellas la dieta desempeña un papel destacado. El objetivo de este fin de semana no es, desde luego, perder peso, aunque si tu cuerpo tiene que trabajar más de la cuenta para digerir comidas pesadas será mucho más difícil lograr que tu ritmo vital disminuya. Por ello, el objetivo es que durante este fin de semana tu dieta sea ligera, nutritiva y fácil de digerir. Vas a cenar cada día una sopa de gran valor alimenticio y harás la comida fuerte del día al mediodía, cuando tu sistema digestivo trabaja de forma más eficiente. Si te parece que con un bol de sopa no vas a tener suficiente, puedes comer un segundo bol, o acompañar la sopa con una rebanada de pan integral.

Si quieres disfrutar de un sueño profundo y sosegado, no deberías cenar ni muy tarde ni mucha cantidad. Tampoco bebas alcohol; aunque al principio quizá te cause sopor, es un estimulante que puede romperte perfectamente el sueño en mitad de la noche. El té y el café también son estimulantes, de modo que evítalos. En vez de eso bebe mucha agua durante toda la tarde.

Trata de comer a las 20:00 h como máximo y come despacio, concentrándote en los distintos alimentos que comes (no veas la televisión o escuches la radio mientras comes). Dale a tu cuerpo la oportunidad de ir más despacio.

sopas

Tal vez antes de la sesión de meditación del viernes quieras preparar una sopa para poderla comer luego. Puedes incluso preparar todas las sopas del fin de semana por adelantado, de modo que cuando necesites una sólo tengas que sacarla de la nevera. Las recetas que figuran a continuación son para cuatro comensales, o sea que puedes compartirlas o guardarlas.

Caldo de verduras

La mayoría de las recetas de estas páginas requieren caldo de verduras. Puedes comprar sopa preparada o cubitos de caldo, pero hacerla no es nada difícil.

3 patatas troceadas
1 cebolla troceada
2 puerros troceados
2 tallos de apio troceados
2 zanahorias troceadas
1 manojo de hinojo troceado
un puñado de hierbas como, por ejemplo, perejil, tomillo y laurel
1,5 l de agua
sal
pimienta

1 Pon los vegetales y las hierbas en una olla con el agua. Salpimenta al gusto. Hazlo hervir y cuece a fuego lento durante 1 hora y media, espumando la superficie regularmente.

2 Cuela el caldo y guárdalo en la nevera hasta que lo necesites.

Sopa de calabaza de invierno con manzana

Una nutritiva sopa, ideal para las frías noches de invierno.

1 o 2 calabazas de invierno (unos 900 g)
800 ml de agua
1 cucharada de semillas de comino
¼ de cucharada de semillas de cardamomo
1 cebolla amarilla, a rodajas
1 cucharada de aceite de oliva
2 dientes de ajo, majados
1 cucharada de jengibre fresco (unos 30 g), rallado
1 manzana, sin corazón y a rodajas
1 cucharada de zumo de limón
sal

1 Meter la calabaza en el horno 1 hora a 190 grados. Dejar enfriar, abrirla, retirar las semillas y separar la pulpa.

2 Majar el comino y el cardamomo en un molinillo o a mano. Sofreír la cebolla en el aceite unos 2 o 3 minutos, añadir el ajo, el jengibre, el comino y el cardamomo, y seguir cociendo 1 o 2 minutos más.

3 Añadir la manzana y 800 ml de agua caliente, junto con la calabaza. Cocer unos 10 minutos. Cuando la manzana esté blanda, aplastarla con una batidora manual o automática. Sazonar con el zumo de limón y salar al gusto.

Sopa de chirivía al curry

Ésta es otra sopa con sustancia, particularmente buena para congestiones respiratorias de todo tipo. El sabor dulce de la chirivía combina muy bien con el sabor picante del curry. Si te gusta más picante, añade más curry.

375 g de chirivías cortadas a pedacitos
1 cebolla troceada
600 ml de caldo de verduras (véase la página anterior)
1 cucharadita de curry en polvo
1 cucharada de yogur natural
sal
pimienta
hojas de cilantro picadas para la guarnición

1 Pon las chirivías y la cebolla en una olla grande con el caldo y salpimenta. Llévalo a ebullición, tapa la olla y hierve a fuego lento durante 20 minutos o hasta que las chirivías se ablanden.

2 Retira la olla del fuego y deja enfriar un poco, pásalo por la batidora, por el robot de cocina o por un colador chino. Remueve el puré de curry.

3 Pon de nuevo la sopa en una olla limpia y vuelve a calentarla. Añade el yogur, remueve y sírvela aderezada con el cilantro picado.

Sopa de lentejas rojas

Esta sopa tan generosa es una buena elección si estás acostumbrada a cenar copiosamente.

250 g de lentejas rojas majadas
1 puerro troceado
2 zanahorias grandes troceadas
1 tallo de apio troceado
1 diente de ajo picado
una hoja de laurel
1,2 l de caldo de verduras (véase página 52)
½ cucharadita de pimienta de cayena
pimienta
Para el aderezo:
yogur natural
cebollino a trocitos

1 Coloca los ingredientes de la sopa en una olla grande y llévalos a ebullición. Tapa la olla y deja cocer a fuego lento durante unos 20 o 25 minutos o hasta que las lentejas y todas las verduras se hayan ablandado.

2 Deja que la sopa se enfríe un poco, retira la hoja de laurel y pasa todo lo demás por la batidora o el robot de cocina hasta que obtengas un puré fino.

3 Vuelve a calentar la sopa, rectifica de pimienta y sírvela fría. Aderézala con un toque de yogur y con los trocitos de cebollino.

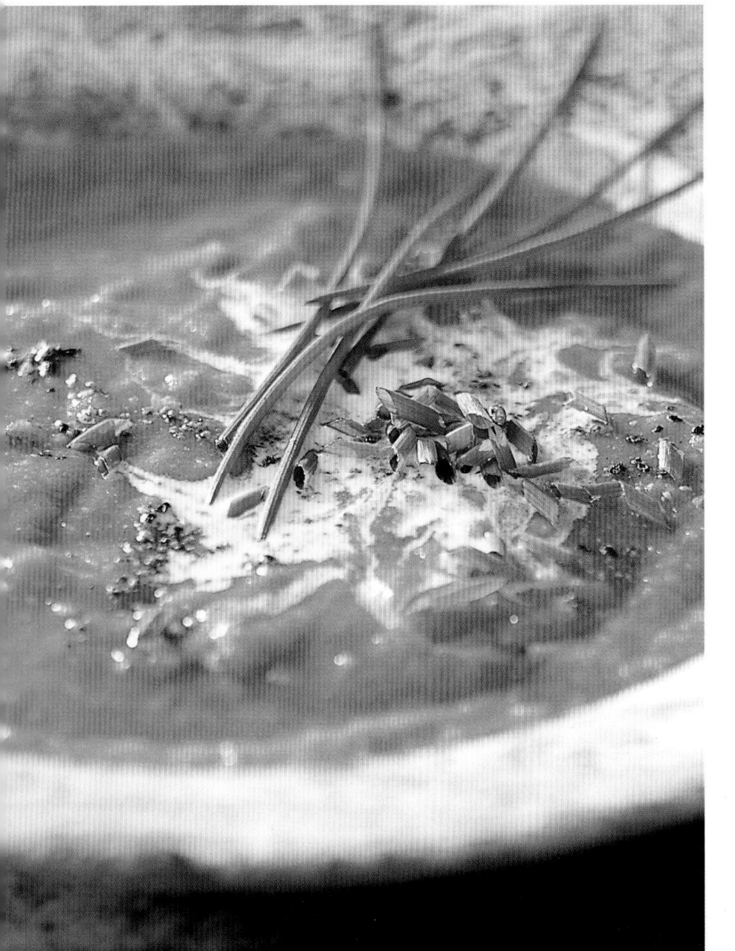

Sopa de apio fría

Si hace calor puede que prefieras esta sopa fría. Es sabrosa y ligera, y el comino le da un toque especial.

250 g de apio
1,2 l de caldo de verduras (véase página 52)
1 cebolla troceada
250 g de patatas peladas y troceadas
1 cucharadita de comino
3 cucharadas de yogur natural
sal
hojas de apio bien picadas como aderezo

1 Corta en trocitos finos el apio suficiente para llenar dos cucharadas. Reserva y ralla el resto del apio con el robot de cocina o a mano.

2 Mezcla el apio rallado, el caldo, la cebolla, las patatas y el comino en una olla. Echa una pizca de sal. Caliéntalo hasta que empiece a hervir, baja el fuego y cuécelo a fuego lento, parcialmente tapado, durante unos 20 o 25 minutos.

3 Pasa la mezcla por un robot de cocina o una licuadora hasta que quede un puré fino, añade el apio troceado, remueve y deja que se enfríe en un bol. Mete la sopa en la nevera durante por lo menos 3 horas. Añade el yogur justo antes de servir y adereza con las hojas de apio.

Sopa de berenjenas a la parrilla

Asar las berenjenas previamente le da a esta sopa nutritiva y deliciosa su característico sabor ahumado.

750 g de berenjenas
3 cucharadas de aceite de oliva
1 cebolla troceada
1 zanahoria troceada
2 tallos de apio a trozos
1 diente de ajo troceado
1,2 l de caldo de verduras (véase página 52)
2 cucharadas de albahaca picada
2 cucharadas de queso parmesano rallado
125 ml de yogur natural
sal
pimienta

1 Parte en dos las berenjenas longitudinalmente y hazlas al grill previamente caliente hasta que estén chamuscadas y blandas. Déjalas enfriar, quita los trozos chamuscados y córtalas un poco.

2 Calienta el aceite de oliva en un recipiente grande y hondo, añade la cebolla, la zanahoria, el apio, el ajo y la berenjena. Tápalo y cuécelo todo a fuego lento durante 15 minutos, removiendo con frecuencia hasta que las verduras se ablanden.

3 Añade el caldo, caliéntalo hasta que hierva, tapa la olla de nuevo y cuécelo todo a fuego lento durante 1 hora. Añade la albahaca y deja enfriar.

4 Pasa la mezcla por la batidora o el robot de cocina hasta que obtengas un puré fino. Ponlo de nuevo en la olla, añade el parmesano y el yogur, y vuelve a calentarlo poco a poco sin dejar que hierva. Salpimenta al gusto y sirve.

viernes 21:00 baño de aromaterapia

Una de las manifestaciones más comunes del estrés es el insomnio, que nos impide conciliar el sueño o nos despierta en plena noche y no conseguimos volver a dormir. Aun cuando no sufras insomnio, puede que tengas problemas con la luz, o que no descanses al dormir, con lo cual al despertarte por la mañana estás igual de cansada que cuando te fuiste a dormir la noche anterior. Y eso, a su vez, puede producir dolores de cabeza y de otro tipo.

Uno de los objetivos de este fin de semana es dormir las tres noches un sueño sosegado y profundo sin tener que recurrir a los fármacos ni sufrir sus indeseables efectos secundarios. La aromaterapia es una alternativa muy agradable a los somníferos, y al día siguiente no te deja con sensación de modorra.

Para desconectar al final del día, la primera noche está bien planeada, empezando por la meditación. Cenar algo ligero a última hora de la tarde también ayuda mucho. Si más tarde tienes sed, bebe una infusión antes de acostarte; la manzanilla con miel y limón es ideal. Si tienes tendencia a la indigestión, prueba la hierbabuena.

El baño

Un baño de aromaterapia es una forma excelente de relajar la mente y el cuerpo cuando el día llega a su fin. Se trata de un baño que tiene poco que ver con la higiene y mucho con el placer y el relax. Prepara el cuarto de baño con anticipación para que resulte lo más tranquilo posible. Tanto la atmósfera como las toallas deben ser cálidas. La luz también es importante: tiene que ser lo más tenue posible. Las velas tienen un efecto calmante, y en muchas tiendas se pueden encontrar velas con esencias de aceites relajantes.

Llena la bañera de agua. Es importante que no esté demasiado caliente, ya que el aceite se evaporaría. Añade entre cinco y diez gotas de aceite de dulces sueños (véase página siguiente) en el agua y mézclalas bien. Relájate dentro de la bañera durante al menos 20 minutos. Si te cuesta relajarte, escucha música suave y tranquila. Después de bañarte envuélvete en una toalla grande y cálida y sécate suavemente con ella, o simplemente espera a que absorba el agua que aún tengas encima para que te quede un poco de aceite en la piel.

Aceite de dulces sueños

- 12 gotas de aceite de esencia de lavanda
- 8 gotas de aceite de esencia de neroli
- 5 gotas de aceite de esencia de rosa

Mezcla los componentes y guarda
la mezcla en una botella.

viernes 22:00 automasaje para dormir

Si crees que aún vas a tener problemas para dormir puedes probar varias cosas. Un par de gotas o tres del aceite de dulces sueños (página 57) en un pañuelo colocado encima de la almohada te pueden ayudar a relajarte si estás mentalmente agitada. Si sigues notándote tensa, puedes darte un masaje facial. Para ello, usa la mitad de la mezcla del aceite de dulces sueños y añádele 35 ml de aceite de almendras y 35 de aceite de pepitas de uva o de cualquier aceite vegetal prensado en frío. Agita bien la mezcla y aplícatela en cara y cuello. Si no te importa tener el pelo aceitoso hasta que te duches por la mañana, puedes darte un masaje con ese aceite en el cuero cabelludo. Notarás que es especialmente relajante. Otra opción es encender un quemador de esencias con aceite puro de lavanda o de neroli una media hora antes de irte a dormir. Asegúrate de apagarlo antes de meterte en la cama.

Automasaje para dormir

Para el automasaje con aceite de dulces sueños necesitarás entre cinco y diez minutos, según la rapidez con que masajees. Puedes hacerlo justo después de bañarte, o incluso cuando ya estés en la cama, aunque en ese caso necesitarás una almohada grande para apoyar la espalda.
Tómate el tiempo que necesites y deja que el aceite actúe durante la noche.

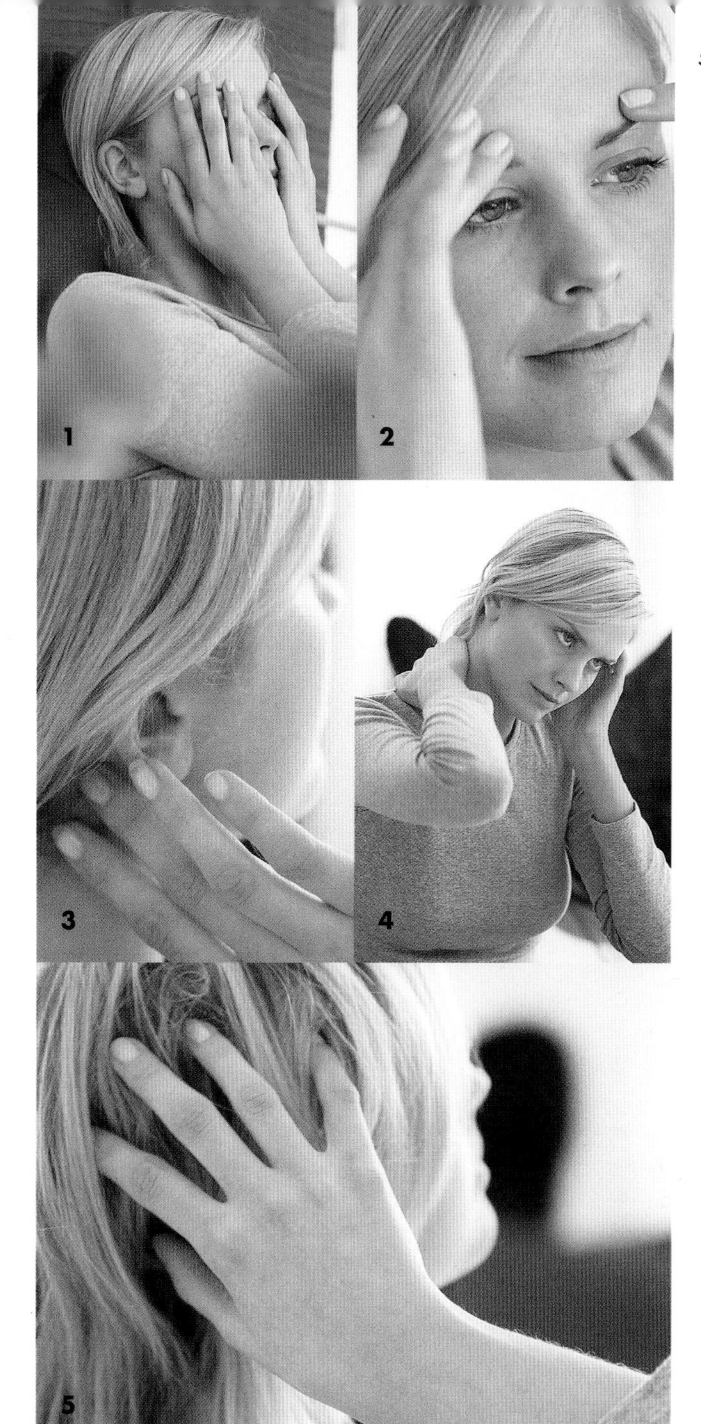

Masaje facial

1 Pon los tres dedos centrales de cada mano en una ceja. Cierra un poco los ojos y quédate en esa posición un momento, respirando profundamente unas cuantas veces.

2 Pon los dos dedos corazón uno a cada lado de la parte superior del puente de la nariz, entre las cejas. Ve siguiendo la línea de las cejas y masajea la zona con pequeños movimientos circulares hasta llegar a las sienes. Presiona durante un momento.

- Haz el camino de vuelta hacia la frente, aunque masajeando con los dedos un poco más arriba, y luego vuelve a desandar el camino hasta las sienes.

3 Repite el paso 2, cada vez haciendo el camino más arriba, hasta que lo hagas siguiendo la línea del nacimiento del pelo. Continúa por ella hasta la nuca con el mismo movimiento circular. Repite el movimiento varias veces.

4 Realiza los mismos movimientos circulares desde el nacimiento del pelo en la nuca, siguiendo la columna con un dedo a cada lado. No pases por encima de la columna. Si quieres, puedes aumentar un poco la presión.

5 Realiza los mismos movimientos desde la frente hasta la nuca atravesando en línea recta el cuero cabelludo. Si lo deseas puedes emplear dos o tres dedos y cubrir un área mayor. Finalmente, masajéate toda la cabeza con la mano entera como si te estuvieras amasando el cuero cabelludo.

sábado

8:00
Yoga
9:00
Desayuno
10:00
Relajación y meditación
12:00
Comida
14:00
Masaje
16:00
Masaje facial
18:00
Cena
20:00
Técnicas de respiración y meditación
22:00
Dormir

sábado 8:00 **yoga**

El yoga, la secular «ciencia de la vida» india, está relacionado con la salud física, mental y espiritual en sus tres disciplinas: posturas (o *asanas*), ejercicios de respiración y meditación. A lo largo de este fin de semana de relajación practicarás estos tres elementos del yoga.

El yoga es un proceso de relajación sistemático y gradual, y por ello es una técnica perfecta para este fin de semana. La relajación física que se obtiene practicando los *asanas* y el *pranayama* (véase página 81) conlleva la liberación de antiguas tensiones almacenadas, a menudo de origen emocional. El cuerpo gana en flexibilidad y los músculos en elasticidad y tono, sin aumentar de volumen. Debido a ello, el yoga suele aliviar considerablemente los dolores relacionados con la tensión y con contracturas musculares, entre los cuales destacan el dolor de espalda crónico, los dolores de cabeza y la migraña. El efecto desentumecedor de las articulaciones inmóviles es de gran ayuda para cualquier persona que sufra de artritis o reumatismo.

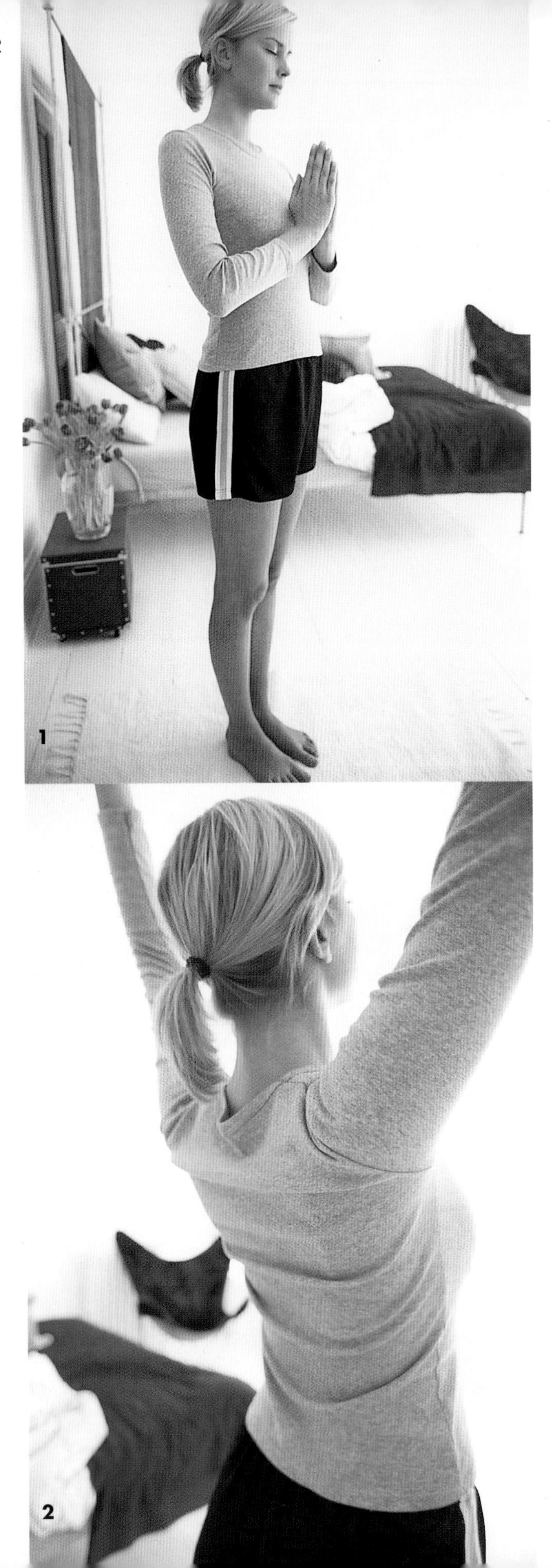

Empieza el día con un ejercicio de yoga (antes del desayuno o de la ducha). Este ejercicio te ayudará a que tu cuerpo despierte y tu mente se centre incluso si la mañana no es para ti el mejor momento del día. También sirve como masaje para los órganos internos. Vístete con ropa ancha y caldea la habitación antes de empezar con los ejercicios (el frío no es nada bueno para estirar los músculos). Este ejercicio se llama saludo al sol y, tradicionalmente, se realiza por la mañana.

Saludo al sol

1 Ponte de pie, con la vista al frente, las manos juntas en posición de plegaria enfrente del esternón. Comprueba que te apoyas igual en ambos pies y que ninguna parte de tu cuerpo está en tensión. Respira profundamente unas cuantas veces.

2 Inspira profundamente y levanta los brazos hacia el techo. Prolonga el movimiento para que los brazos se inclinen ligeramente hacia atrás y acompaña ese movimiento curvando el cuerpo. No fuerces esa posición más allá de lo que te resulte cómodo.

3 Vuelve a la posición erguida, con los brazos levantados y a medida que espires, dóblate hacia delante a partir de la cadera, manteniendo la espalda recta.

4 Coloca las manos en el suelo. Si no llegas, sujétate las pantorrillas y estira un poco la parte trasera de las piernas.

5 Inspira profundamente y dobla la rodilla izquierda a la vez que estiras la derecha hacia atrás y colocas las manos en el suelo. Levanta la cabeza hacia el techo.

6 Espira y echa la pierna izquierda hacia atrás de modo que te apoyes con las manos y con los pies, y que tu cuerpo forme una línea recta.

7 Inspira y, al espirar, baja las rodillas y el pecho hasta llegar al suelo. Mantén las caderas elevadas.

3

4

5

6

7

sábado 8:00 **yoga**

8 Al inspirar, baja también las caderas hacia el suelo y, con un movimiento largo y serpenteante, desplaza el cuerpo hacia delante entre los brazos tanto como puedas, hasta que tu espalda esté arqueada y mires al techo.

9 Al espirar, levanta la cadera hacia arriba y deja caer la cabeza para formar un triángulo.

10 Inspira, adelanta la rodilla derecha y deja la pierna izquierda estirada. Espira y mira al techo.

11 Inspira y, al espirar, adelanta la rodilla izquierda hasta que se junte con la derecha y estira las piernas, manteniendo las manos en el suelo o sujetándote las pantorrillas. Mantén la cabeza caída. En cuanto notes que va a empezar a dolerte, deja de estirarte y, a menos que seas una persona muy flexible, mantén las rodillas dobladas.

12 Inspira y, muy lentamente, empieza a levantar el torso desde la cadera, con los brazos extendidos al frente. Cuando estés derecha, en lugar de parar, sigue hasta que te dobles hacia atrás, con los brazos también detrás del cuerpo.

13 Vuelve a la posición recta y junta las manos de nuevo, en posición de plegaria.

Puedes repetir la secuencia completa unas cuantas veces. Las personas que tienen experiencia en el yoga lo hacen unas diez veces. Sin embargo, si eres una principiante, al principio no lo hagas más de dos o tres veces. Notarás que cada vez que lo hagas puedes forzar un poco más las posturas.

También te puede resultar útil hacer una secuencia muy despacio, manteniéndote durante un rato en cada una de las 12 posiciones y respirando para relajarte entre posición y posición. Cuando hayas acabado, relájate durante cinco minutos en alguna de las posturas siguientes.

Postura del niño

Esta es una posición muy buena para después del saludo al sol, particularmente si tu espalda no está muy acostumbrada a hacer estiramientos.

- Siéntate sobre los talones con la espalda recta. Coloca las manos detrás de ti, sobre las plantas de los pies. Inspira y dóblate ligeramente hacia atrás, mirando hacia arriba.
- Espira y dóblate hacia delante hasta tocar el suelo con la frente. Tendrás que dejar de apoyarte en los pies y quizá levantar un poco el trasero. Deja los brazos colgando a los lados y respira lentamente con los ojos cerrados. Tras respirar lenta y profundamente durante uno o dos minutos, empieza a respirar menos profundamente, pero sigue con los ojos cerrados. Cuando estés lista, levántate con lentitud.

Postura del muerto

Esta posición es tan relajante que puedes quedarte dormida. Asegúrate de que tienes cerca algo con lo que cubrirte mientras la practiques porque si no puedes coger frío.

- Túmbate de espaldas con los brazos ligeramente separados del cuerpo y con las palmas de las manos mirando hacia arriba. Mantén las piernas separadas y los pies relajados. Cierra los ojos.
- Respira lenta y profundamente durante uno o dos minutos, concentrándote en tu propia respiración y en la sensación de notar como los pulmones se llenan de aire. Luego, antes de levantarte, respira normalmente unos minutos más.

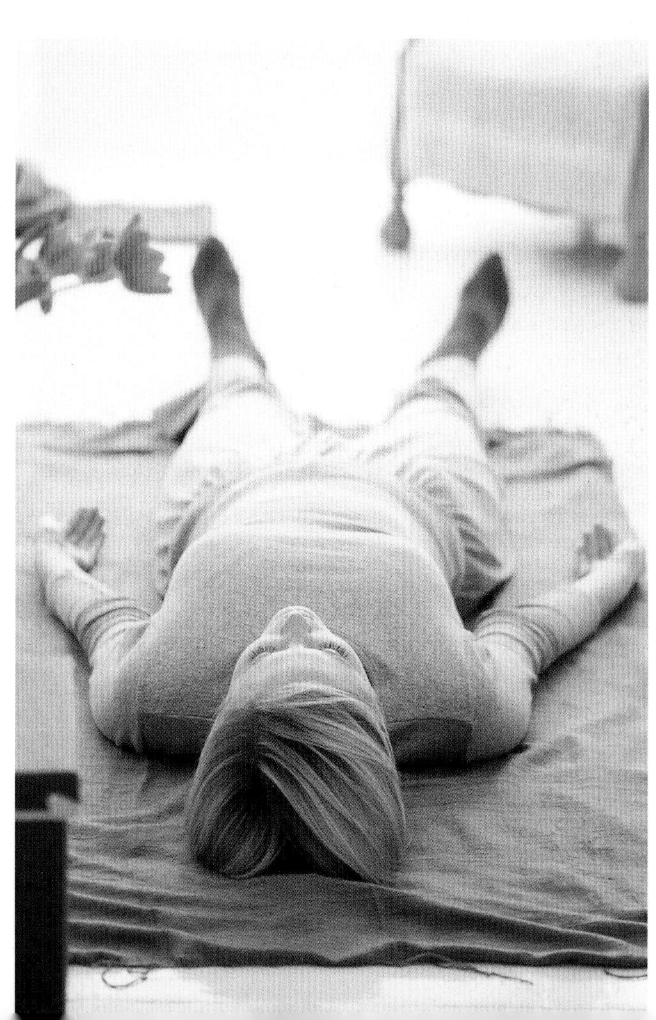

desayunos

Es preferible desayunar tras la sesión de yoga (hacer ejercicio con el estómago lleno no es nada recomendable). Si te es posible, es mejor que bebas infusiones en vez de té o café normales y corrientes pero, si no puedes pasar sin ellos, bébelos descafeinados (notarás sus efectos beneficiosos en la sesión de relajación de última hora de la mañana y cuando te vayas a dormir). A lo largo del día bebe tanta agua o tantas infusiones como puedas y, si quieres un tentempié, cómete una pieza de fruta, frutos secos o nueces.

Toma un desayuno ligero; tal vez una tostada integral, algunos cereales sin azúcar con algo de fruta o una infusión. Bébete también un vaso grande de zumo de frutas; puedes probar a hacer tu propio zumo fresco (véase página 22). Lo que sigue son algunas ideas más para desayunos. (Todas estas recetas son para un comensal.)

Manzana al higo

1 manzana grande
1 cucharadita de miel pura
25 g de higos secos
1 cucharadita de zumo de limón
1 cucharada de zumo de manzana
3 cucharadas de yogur natural desnatado

1 Extrae el corazón de la manzana y llena el hueco con la miel, los higos y el zumo de limón.

2 Vierte sobre ella el zumo de manzana y hornea a 180 °C durante 40 minutos.

3 Sirve con el yogur.

Macedonia tibia

Esta macedonia tibia también es deliciosa si se come fría.

125 g de fruta seca como albaricoques, ciruelas pasas, manzanas, peras e higos
150 ml de zumo de manzana o de naranja
3 cucharadas de yogur natural desnatado

1 Pon la fruta en un bol, añade el zumo y déjalo en remojo durante la noche.

2 Vierte el contenido del bol en un recipiente y ponlo a fuego muy bajo durante 10 minutos.

3 Sirve con el yogur.

Melones con miel

¼ de sandía pequeña
¼ de melón francés pequeño
1 cucharada de miel pura
25 g de almendras tostadas fileteadas

1 Quítale las pepitas y la cáscara a las frutas y córtalas a daditos.

2 Vierte la miel sobre los daditos, esparce por encima las almendras y sírvelo.

sábado 10:00 **relajación y meditación**

Tras el desayuno, puedes comenzar a prepararte para encarar el día; tómate tu tiempo para digerir lo que has comido antes de pensar en la siguiente actividad.

Vístete con ropa ancha y cómoda para realizar los ejercicios de relajación. Piensa que durante la sesión de relajación tu temperatura corporal bajará, de modo que ponte algo que abrigue lo suficiente. Ponerte calcetines es una buena idea, y también tener una manta o un jersey a mano por si a lo largo de la sesión empezaras a tener frío.

La relajación no tiene secretos, y cuando lleves a cabo los ejercicios te sorprenderá ver la estrecha relación que existe entre cuerpo y mente. El uno va siempre adonde el otro le lleva. Por ello, cuando uno se relaja también lo hace el otro. Sea como sea, debes darte a ti misma la oportunidad de relajarte (sin que nadie te interrumpa). Descuelga el teléfono o pon el contestador y, si existe la posibilidad de que alguien vaya a entrar a molestarte, pon un cartel de «no entrar» en la puerta.

Existen dos formas de completar el proceso de relajación. O bien puedes leer las instrucciones que siguen y recordarlas, repitiéndotelas mentalmente, o bien grabarlas en una cinta antes de empezar. El segundo sistema te permitirá concentrarte mejor en tu cuerpo.

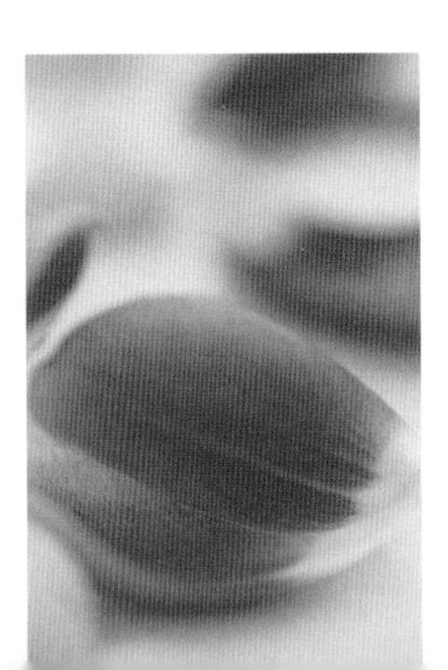

Grabar una cinta de relajación

Mientras te relajes, el cuerpo y la mente se ralentizarán, de modo que debes hablar muy lentamente. Como verás, habrá muchas repeticiones en lo que irás diciendo; eso ayuda a concentrarse. Deja pausas entre instrucción e instrucción (una buena idea es respirar profundamente al acabar cada frase, haciendo una pausa larga entre cada instrucción individual o, si tienes que repetir alguna serie de pasos, entre paso y paso).

Tal vez no seas capaz de centrarte en una parte del cuerpo de forma inmediata, así que tómate todo el tiempo necesario. No modules la voz; mientras grabes te podrá parecer que el tono es aburrido, pero lo último que desearás mientras te estés relajando serán sorpresas o agitación.

La cinta entera, incluidas las pausas, debe durar entre 30 y 40 minutos, aunque puede durar más si tú quieres. Lee las instrucciones antes de grabar y así podrás determinar el tiempo que vas a necesitar.

Hay gente a la que le gusta oír música de fondo. No obstante, existe el peligro de que eso suponga una distracción: empiezas a escuchar la música y te olvidas de concentrarte en tu cuerpo. Se pueden comprar cintas con música de relajación; cuando empieces a tener esta práctica un poco por la mano tal vez descubras que poner música supone un cambio interesante.

Se puede abordar el proceso de relajación de muchas formas. La que se propone a continuación está basada (de forma bastante libre) en la técnica de relajación del yoga, o *yoga nidra*. *Nidra* significa «sueño yoga» aunque cuando lo practicas eres mucho más consciente y extiendes esa conciencia por todo tu cuerpo, concentrándote, a la vez, en cada una de las partes. Teniendo eso presente, es importante no quedarse dormido, de modo que asegúrate antes de empezar de que el ambiente en el cuarto es cálido, pero no en exceso. Coloca el radiocasete cerca para no tener que levantarte a ponerlo en marcha cuando acabes con la preparación.

Preparación para la meditación

Túmbate en el suelo en la posición del muerto (véase página 65) y tápate con una manta o una toalla si tienes frío. Respira profundamente tres veces, despacio, concentrándote en la espiración, de modo que sientas el cuerpo vacío antes de volver a inspirar. Empezando por los dedos de los pies, y subiendo por las piernas y el cuerpo, ve tensando los músculos, relajándolos y pasando al siguiente grupo. No esperes que a este nivel tus músculos se relajen por completo, simplemente sé consciente de ellos. Para mover algunas partes de tu cuello, como por ejemplo los hombros o la cabeza, tendrás que girarlas en vez de tensarlas. Se trata de hacer movimientos muy ligeros. Una vez seas consciente de todas las partes de tu cuerpo, limítate a quedarte tumbada un momento, aún con las piernas ligeramente separadas y con los brazos a los lados, y entonces pon en marcha la cinta.

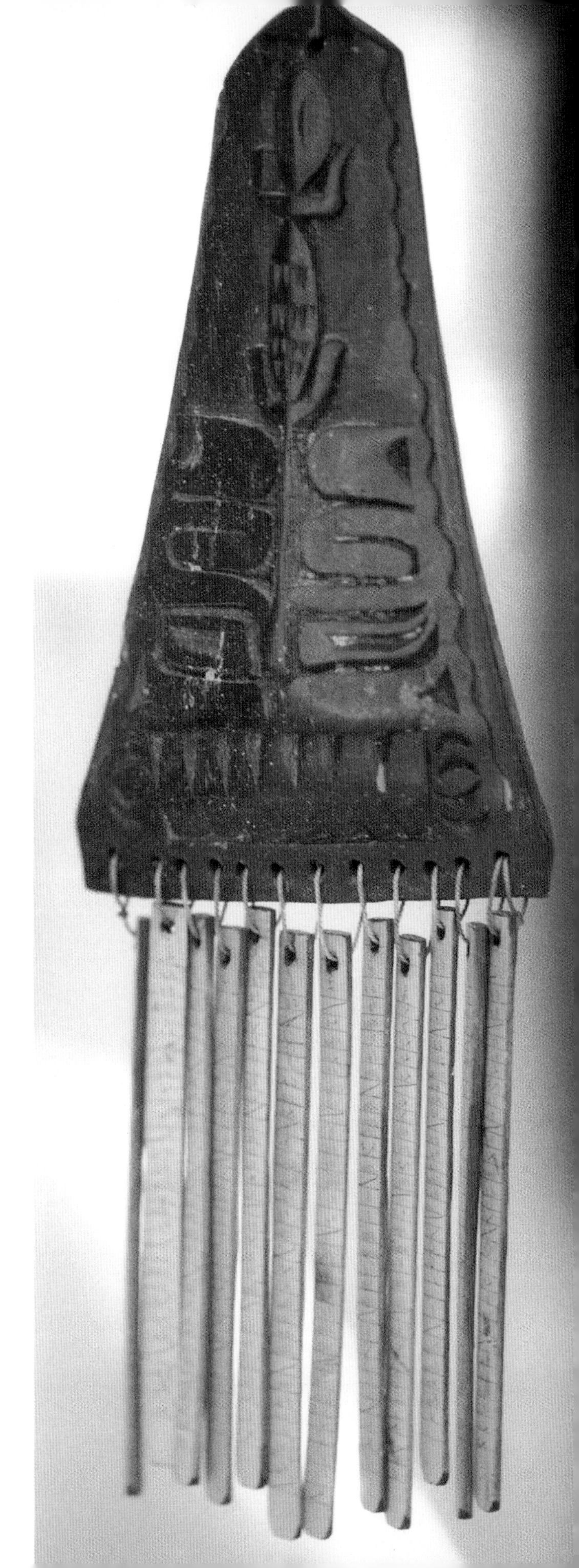

Ejercicio de relajación

Concéntrate en el pie izquierdo. Toma conciencia de él. Luego, centra tu atención en los dedos.

- Siente el dedo gordo del pie. Nota cómo se destensa y se relaja. Toma conciencia del segundo dedo. Nota cómo se destensa y se relaja. Concéntrate en el tercer dedo. Nota cómo se destensa y se relaja. Siente el cuarto dedo. Siente cómo se destensa y se relaja. Toma conciencia del dedo pequeño. Nota cómo se destensa y se relaja.
- Concéntrate en la planta del pie. Nota cómo se relaja. Ahora la planta del pie izquierdo está relajada.
- Centra tu atención en el talón del pie izquierdo. Nota cómo se relaja. Ahora el talón del pie izquierdo está relajado.
- Toma conciencia del empeine del pie. Siente cómo se relaja. Ahora el empeine del pie izquierdo está relajado.
- Concéntrate en el tobillo izquierdo. Nota cómo se relaja. Ahora el tobillo izquierdo está relajado.
- Concéntrate en la pantorrilla izquierda, en el músculo de la pantorrilla, de la espinilla, de la rodilla. Nota cómo la pantorrilla se relaja. Ya está relajada. Siente cómo el músculo de la pantorrilla se relaja. Ya está relajado. Nota cómo la espinilla se relaja. Ya está relajada. Siente cómo la rodilla se relaja. Ya está relajada.
- Deja que tu atención se deslice hasta el muslo. Nota cómo los músculos de la parte delantera del muslo se relajan. Ya están relajados.
- Siente cómo los músculos de la parte trasera del muslo se relajan. Ya están relajados.
- Desplaza tu atención hasta tu nalga izquierda y nota cómo sus músculos se relajan. Ya están relajados.
- Ahora toda la pierna, desde los dedos de los pies hasta las nalgas, está relajada.

A continuación, repite toda la secuencia con la pierna derecha.

Concéntrate en el abdomen.

- Toma conciencia del abdomen. Siente cómo el abdomen sube y baja cada vez que respiras. Concéntrate en ese movimiento. El abdomen se está relajando. Tu respiración se está relajando. Tu abdomen está relajado.
- Céntrate en la zona pélvica. Toma conciencia de tus órganos sexuales, de la vejiga, del colon. Nota cómo se relajan. Ahora toda la zona pélvica está relajada.
- Toma conciencia de la espalda. Nota la parte inferior, la parte media, la parte superior en contacto con el suelo. Siente cómo la parte inferior, la parte media y la parte superior de la espalda se relajan. Ahora toda tu espalda está relajada.
- Toma conciencia del pecho. Concéntrate en cómo sube y baja al respirar. Nota cómo los pulmones se expanden y se contraen al respirar. Siente cómo los pulmones se destensan y se relajan. Toda la zona del pecho está relajada.

Traslada tu atención a la mano izquierda.

- Toma conciencia de tus dedos. Concéntrate en el meñique. Nota cómo se destensa y se relaja. Toma conciencia del anular. Siente cómo se destensa y se relaja. Toma conciencia del dedo corazón. Nota cómo se destensa y se relaja. Toma conciencia del índice. Siente cómo se destensa y se relaja. Toma conciencia del pulgar. Nota cómo se destensa y se relaja. Ahora todos los dedos están destensados y relajados.
- Toma conciencia de la palma de la mano. Nota cómo se relaja. Ya está relajada.
- Toma conciencia del dorso de la mano. Nota cómo se relaja. Ya está relajado.
- Toma conciencia de la muñeca. Nota cómo se relaja. Ya está relajada.
- Toma conciencia del antebrazo, por delante y por detrás. Nota cómo se relaja. Todo el antebrazo está relajado.
- Toma conciencia del codo. Nota cómo se relaja. Ya está relajado.
- Toma conciencia de la parte superior del brazo, por delante y por detrás. Nota cómo se relaja. Todo el brazo izquierdo está relajado.

Repite la secuencia con el brazo derecho.

sábado 10:00 **relajación y meditación**

Traslada tu atención al cuello.

- Toma conciencia de la garganta y el cuello. Nota cómo se relajan. Garganta y cuello están relajados.
- Concéntrate en la cara. Toma conciencia de la mandíbula, de la barbilla, de las mejillas, de la nariz, de los labios. Nota cómo se relajan. Dentro de la boca, la lengua, los labios, todo se relaja. Toma conciencia de tu ojo izquierdo, del párpado, de la ceja. Siente cómo se relajan. Toma conciencia de la frente. Se está relajando. Tu frente está relajada. Toda tu cara está relajada.
- Toma conciencia de las orejas. Nota cómo se relajan. Ya están relajadas.
- Toma conciencia del cráneo, del cuero cabelludo. Nota cómo todo el cuero cabelludo se relaja. Toda tu cabeza está relajada.
- Concéntrate en un punto en la parte superior de la cabeza. Nota cómo se relaja. La parte superior de tu cabeza está relajada. La parte superior de tu cabeza está abriéndose como una flor.
- Un haz de luz dorada entra a través de la parte superior de tu cabeza. Pasa por la cabeza, baja hacia el cuerpo, pasa por los brazos, pasa por las piernas. La luz dorada aporta paz y salud a todo tu cuerpo. Toma conciencia de cómo todo tu cuerpo late con la luz dorada.
- Siente cómo la parte superior de la cabeza se cierra, como una flor que por la noche cierra los pétalos. La parte superior de tu cabeza está cerrada pero la luz dorada llena todo tu cuerpo. Nota cómo la luz dorada circula por tu cuerpo cuando respiras. Nota lo ligero que es tu cuerpo, lo poco que pesa sobre el suelo.
- Toma conciencia de lo ligera que es tu respiración. Concéntrate en cómo el aire que respiras entra en tu cuerpo. Toma conciencia de cómo el aire que respiras sale de tu cuerpo. Toma conciencia de tu respiración durante un rato más.
- Traslada tu atención al resto del cuerpo. Toma conciencia de los brazos, las piernas, la espalda, el pecho, el abdomen. Toma conciencia de todo ello mientras sigues tumbada en el suelo, respirando.

Final

Quédate en el suelo durante al menos cinco minutos tras la secuencia de relajación. Si te levantaras demasiado pronto podrías marearte. Para evitarlo, quédate en el suelo y vuelve poco a poco a tu conciencia normal. Tal vez luego desees echarte un rato en la cama o incluso hacer una siesta. Haz lo que sientas que instintivamente te apetece y pasa el rato que queda hasta la comida lo más relajadamente posible.

almuerzos

Durante este fin de semana los almuerzos serán la comida principal del día, o sea que disfrútalos. Elige dos de los platos que aparecen a continuación, tómate el tiempo que quieras para saborearlos y come despacio.

Ensalada griega con salsa tahini

Para una persona

½ pimiento verde pequeño cortado y sin pepitas
½ pepino pequeño cortado en tiras finas
175 g de tomates cortados en trozos pequeños
½ cebolla pequeña cortada en láminas finas
8 aceitunas negras partidas por la mitad
50 g de queso feta
pan de pita integral como acompañamiento
Salsa tahini:
1 cucharada de pasta tahini
2 cucharadas de yogur natural desnatado
1 cucharada de agua
1 cucharada de perejil picado
1 diente de ajo pequeño
sal
pimienta

1 Coloca el pimiento verde, el pepino, el tomate, la cebolla y las aceitunas en una fuente.

2 Para preparar la salsa, echa la pasta tahini en un bol pequeño y vierte lentamente el yogur sin dejar de batir, aclarando la mezcla con agua si hace falta. Echa también el perejil y el ajo majado y salpimenta.

3 Vierte la salsa sobre las hortalizas y remuévelo todo bien.

4 Corta el queso feta en daditos y échalos por encima de la ensalada. Sirve con pan de pita caliente.

Ensalada de pollo con estragón y naranja

Para dos personas

½ pollo de unos 750 g con sus menudillos
½ cebolla
el zumo de una naranja y la corteza rallada
½ cucharada de estragón picado
1 hoja de laurel
150 ml de agua
1 cucharada de aceite de oliva
entre ½ y 1 cucharada de vinagre de vino
sal
pimienta
hojas de diversos tipos de lechuga (opcional)
Para el aderezo:
1 naranja pequeña, pelada y cortada a dados
½ paquete de mostaza y berro

1 Coloca los menudillos del pollo, la cebolla, la corteza y el zumo de la naranja, el estragón y la hoja de laurel en una sartén.

2 Pon el pollo en la sartén, añade el agua y salpimenta al gusto. Tápalo, llévalo a ebullición y cuécelo a fuego lento durante unos 45 minutos, removiéndolo hasta que el pollo esté hecho.

3 Retira el pollo de la sartén y deja que se enfríe. Retira también la hoja de laurel, los menudillos y la cebolla.

4 Hierve el resto hasta que se reduzca a poco más de ¼ de l. Deja que se enfríe y guárdalo en la nevera.

5 Cuando el pollo esté frío, deshuésalo y aparta también la piel. Corta la carne a pedacitos y métela en un bol.

6 Para preparar la salsa, separa la grasa del pollo frío. Recaliéntala para que quede más líquida, añade el aceite y el vinagre y salpiméntalo al gusto.

7 Vierte la salsa sobre el pollo y remuévelo todo bien. Sirve el plato inmediatamente o tápalo y mételo en la nevera hasta que lo necesites.

8 Para servirlo, decora una bandeja con los dados de naranja y el berro. Si lo deseas puedes servir la ensalada sobre una base de lechuga.

Gambas con albahaca

Para una persona

250 g de gambas frescas enteras
75 g de hojas de lechuga variadas
50 g de tomates «cherry» partidos por la mitad
unas hojas de albahaca
Escabeche:
2 cucharadas de zumo de limón
2 cucharadas de aceite de oliva
½ diente de ajo picado
1 cucharadita de albahaca picada
sal
pimienta
Salsa:
1 cucharada de vinagre de estragón
½ cucharadita de cáscara de limón rallada muy fina
¼ cucharadita de mostaza de Dijon
½ cucharada de estragón picado
2 cucharadas de aceite de oliva
unas hojas de albahaca

1 Para preparar las gambas, sácales la cabeza y, con unas tijeras de cocina afiladas, ábrelas longitudinalmente por la mitad hasta casi partirlas en dos, sin tocar la cola. Quítale el hilo negro que les recorre el lomo. Dispón las gambas en una única capa en un plato llano.

2 Mezcla todos los ingredientes del escabeche en un bol pequeño y viértelo por encima de las gambas. Cúbrelo y deja marinar una hora.

3 Saca las gambas del plato y disponlas formando una sola capa sobre una parrilla de grill. Ásalas a fuego vivo durante 3 o 4 minutos hasta que se curven y tomen un color rosa intenso.

4 Reparte las hojas de lechuga y los tomates en un plato y cúbrelas con las hojas de albahaca picada. Luego dispón encima las gambas.

5 Para preparar la salsa, mezcla todos los ingredientes en un tarro y agítalo. Viértela sobre la ensalada y sirve.

Ensalada caliente de pollo y nueces

Para 1 persona

50 g de tirabeques (guisante mollar), partidos
125 g de hojas de lechugas variadas
½ cebolla roja, cortada en aros finos
1 filete de pechuga de pollo sin piel
2 cucharadas de aceite de oliva
1 cucharada de aceite de nuez
1 diente de ajo majado
1 cucharada de vinagre de vino
25 g de nueces
la cáscara de ½ limón cortada en tiritas
½ cucharadita de azúcar moreno molido
sal
pimienta
unas ramitas de perejil picado para aderezar

1 Pon agua en una cazuela y hazla hervir. Añade los tirabeques y escáldalos durante un minuto. Escúrrelos bien.

2 Corta las hojas de lechuga en trozos pequeños. Disponlas en un plato junto con los tirabeques y la cebolla.

3 Corta la pechuga de pollo en lonchas finas. Con la ayuda de un rodillo, amasa el pollo entre dos hojas de papel apergaminado o de film transparente para obtener medallones finos.

4 Calienta el aceite de oliva en una sartén o en un *wok*. Incorpora algunos medallones de pollo y saltéalos durante unos 2 minutos, sin dejar de remover para que se hagan bien y queden ligeramente dorados. Repite la operación con todos los medallones.

5 Incorpora el aceite de nuez a la sartén, mézclalo con el resto de ingredientes y salpimenta. Caliéntalo todo a la vez que lo vas removiendo y vuelve a añadir el pollo a la sartén.

6 Mezcla el pollo con suficiente salsa caliente como para que lo cubra, y pon la mezcla en el centro de la base de hojas de lechuga. Adereza con perejil y sirve.

Estos postres deliciosos tienen un alto contenido en vitamina C, de modo que puedes permitirte el lujo de comerlos y saber que, al mismo tiempo, estás haciendo algo bueno para tu cuerpo.

Yogur helado con melón

Para 4 personas

1 melón francés
300 ml de yogur natural desnatado

1 Corta el melón por la mitad y sácale las pepitas. Extrae la carne y, con la ayuda de una batidora o un robot de cocina, tritúralo hasta obtener un puré fino.

2 Mezcla el puré de melón con el yogur.

3 Pásalo a un recipiente no muy hondo y congélalo.

4 Sácalo del congelador unos 20 minutos antes de comerlo. Sírvelo con una cuchara de helado.

Helado con fresas enteras

Para 4 personas

3 yemas de huevo
1 cucharada de gelatina de grosella
1 cucharada de vermut rojo
300 ml de yogur natural desnatado
375 g de fresas maduras peladas
4-6 fresas con rabito y hojitas, partidas por la mitad, para decorar

1 Pasa las yemas de huevo, la gelatina de grosella, el vermut rojo, el yogur y la mitad de las fresas por la batidora hasta que la mezcla sea heterogénea y fina.

2 Traslada la mezcla a un recipiente para congelar y congélala hasta que empiece a endurecerse por los bordes.

3 Echa el helado en un bol y bátelo para deshacer los trozos que estén congelados. Corta el resto de fresas peladas y mézclalas con el helado. Mételo todo de nuevo en el recipiente y déjalo congelar completamente.

4 Saca el helado del congelador unos 20 minutos antes de comerlo. Sírvelo con una cuchara de helado y con las fresas partidas por la mitad como decoración.

Peras aromáticas

Para 4 personas

4 peras grandes y fuertes
½ limón
16 clavos
½ rama de canela
300 ml de zumo de manzana
2 cucharadas de gelatina de grosella
4 rodajas de naranja
4 hojas pequeñas de laurel, para decorar

1 Pela las peras, sin sacarles el rabito. Frótalas con el medio limón para evitar que pierdan el color.

2 Adorna cada pera con cuatro clavos. Mételas en una cazuela y añade la media rama de canela, el zumo de manzana y el agua necesaria para cubrirlas.

3 Llévalo a ebullición y cuécelo a fuego lento hasta que las peras se ablanden. Déjalo enfriar.

4 Pon 2 cucharadas del líquido de hervir las peras en una sartén pequeña con la gelatina de grosella. Bátelo con energía hasta que la gelatina se haya disuelto.

5 Coloca una rodaja de naranja en cada plato. Saca las peras de la cazuela con una espumadera y pon una encima de cada rodaja de naranja.

6 Vierte un poco de gelatina encima de cada pera y dale el toque final con una hoja de laurel.

sábado 14:00 **masaje**

No empieces el masaje hasta haber digerido la comida. El máximo de los placeres es acudir a que nos lo dé un masajista profesional (y resulta particularmente relajante si se utilizan aceites de aromaterapia). Busca un masajista cualificado en tu gimnasio, en la piscina o en tu polideportivo, y asegúrate de pedir hora con antelación. Algunos masajistas incluso visitan a domicilio; ésta es la mejor de las opciones: al acabar el masaje puedes relajarte en tu propia casa. No obstante, encontrar un profesional no es imprescindible. Puedes aprender muy fácilmente a dar un masaje, y si aprendes junto con una amiga podéis turnaros. Existen muchos cursillos de fin de semana en los que aprenderéis lo básico.

El masaje que se describe aquí es bastante sencillo y muy relajante, sobre todo si se usa aceite. El aceite ayuda también a que las manos se deslicen mejor sobre la piel, pero hay que calentarlo siempre un poco en las manos antes de aplicarlo. Tal y como ocurre en la relajación, es importante mantener el cuerpo caliente, así como asegurarse de que el ambiente en la habitación es más cálido de lo habitual, y de que tienes varias toallas a mano para tapar las partes del cuerpo que no estén recibiendo masaje. Los músculos, cuando están fríos, se tensan, y eso frustra el objetivo principal del masaje.

Asegúrate de que nadie va a molestarte y no hables durante el masaje (a menos que sea para preguntar cosas sobre él), ya que eso supone, por sí mismo, una alteración. Cuando des un masaje, ponte ropa ancha y cómoda, y quítate todas las joyas. Puedes elegir entre hacerlo en silencio o poner de fondo algo de música tranquila, a poco volumen. Realiza el masaje sobre el suelo o sobre una cama dura.

A la hora de dar el masaje intenta guiarte por el instinto y confía en el sentido del tacto. Pronto aprenderás a sentir cuáles son los músculos que están tensos y necesitan un masaje. Al empezar, asegúrate de que ejerces la presión adecuada para la persona que lo está recibiendo: ni tan fuerte como para que le duela, ni tan flojo como para que no ataque la raíz del problema.

El masaje corporal

La persona que reciba el masaje debería tumbarse en el suelo boca abajo (sobre una toalla) o en la cama. Cúbrela con toallas. En este masaje, céntrate en la parte superior del cuerpo, esto es, la espalda, los hombros y el cuello. Éstos suelen ser los principales centros de tensión, de modo que te concentrarás en la zona que más necesita relajarse. Sin embargo, si lo deseas puedes seguir y dar un masaje de cuerpo entero. En ese caso, no obstante, es preferible empezar por la parte inferior del cuerpo y masajear primero las piernas, luego pasar a la espalda y acabar, como en el masaje aquí expuesto, en el cuello y los hombros.

Como de lo que se trata es de lograr que la persona que recibe el masaje se relaje, te darás cuenta de que cuando te tumbes boca abajo es mucho más cómodo que gires la cabeza hacia un lado. Durante el masaje, cambia de lado para evitar que el cuello se te ponga tenso. Otra opción es apoyar la frente en una almohada para levantar la cabeza del suelo y mantener la columna recta.

Nunca des un masaje:

- A una persona con alguna afección cardíaca
- A una persona con la piel agrietada, infectada o con venas varicosas
- En articulaciones inflamadas a causa de reúma o artritis

1 La persona que va a recibir el masaje debe estar cómodamente tumbada boca abajo y con la espalda desnuda. Calienta el aceite entre tus manos y colócalas planas en la zona de los riñones, con los dedos apuntando hacia el cuello. Deja que la otra persona se acostumbre a su tacto.

- Con una mano a cada lado de la columna (pero no sobre ella), deslízalas lentamente por la espalda hacia arriba, esparciendo el aceite a medida que subes.

2 Cuando llegues arriba, pasa a los hombros y luego masajea lenta y suavemente los costados. Repite esta operación varias veces, realizando movimientos muy lentos. Esta técnica recibe el nombre de *effleurage*.

3 Empieza de nuevo desde la base de la columna y masajea la espalda en sentido ascendente, con una mano a cada lado de la columna. En esta ocasión realiza pequeños movimientos circulares, usando sólo los pulgares. Para este movimiento puedes ejercer una presión mayor, y es una forma muy buena de aliviar los nudos de tensión. No obstante, pregúntale a la otra persona si estás haciéndolo con demasiada fuerza. Evita hacerle daño.

- Repite esta operación varias veces. Recuerda que no debes masajear nunca la columna, sino la zona contigua.

4 Masajea los músculos del cuello con ambas manos como si amasaras pan. Este masaje debe ser suave, ya que los músculos de esa zona suelen estar muy cargados.

5 Coloca la mano en el cuello de la otra persona. Realiza un movimiento en forma de ocho a través de la parte superior de la espalda, usando tu peso para aliviar la tensión. Rodea un omoplato con la mano, luego desplázala en diagonal por la espalda y rodea el otro omoplato. Después traza la otra diagonal y rodea de nuevo el primer omoplato. Repite la operación unas cuantas veces.

6 Colócate frente a la otra persona y con los dedos apuntando a la parte baja de la espalda, recórrela toda con un movimiento prolongado, con una mano a cada lado de la columna. Usa tu peso para aliviar la tensión muscular. Al final de la columna, masajea la parte superior de las nalgas, y sube por los costados otra vez hasta los hombros. Repite esta operación varias veces, disminuyendo la presión en cada repetición.

7 Empezando por el final de la columna, y con el dedo corazón de una mano, repasa toda la columna hasta llegar al cuello. Al llegar arriba, realiza el mismo movimiento con el dedo corazón de la otra mano. Disminuye progresivamente la presión, hasta el simple roce.

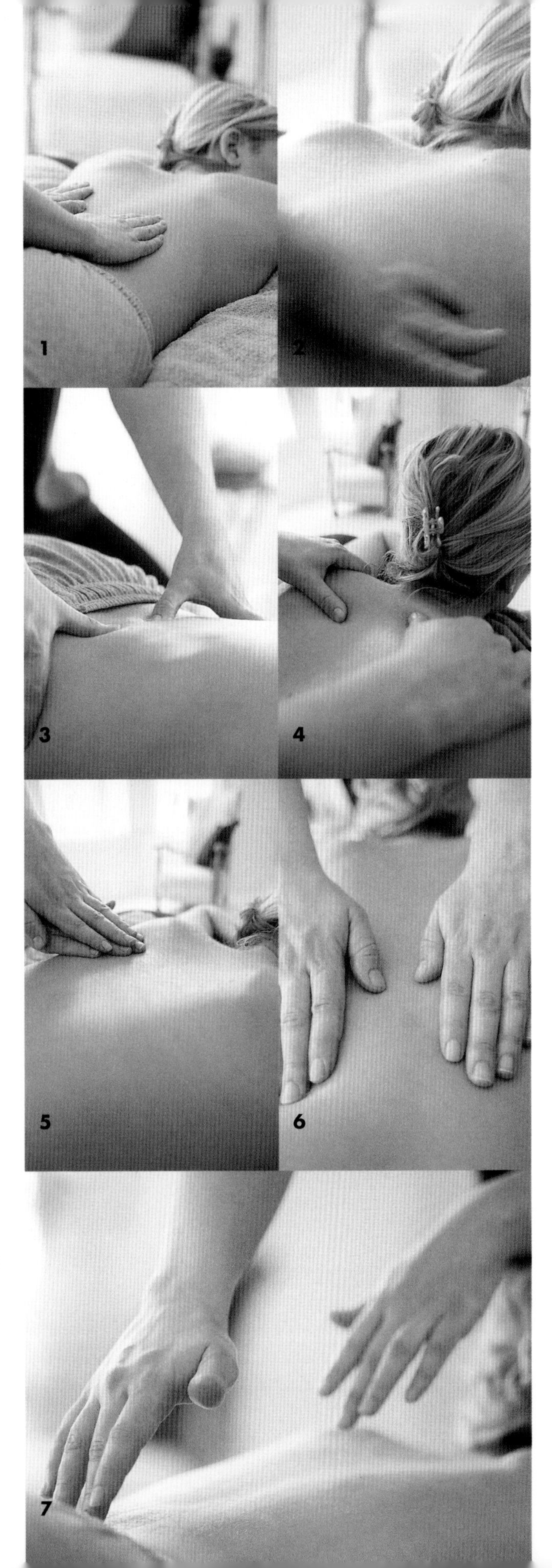

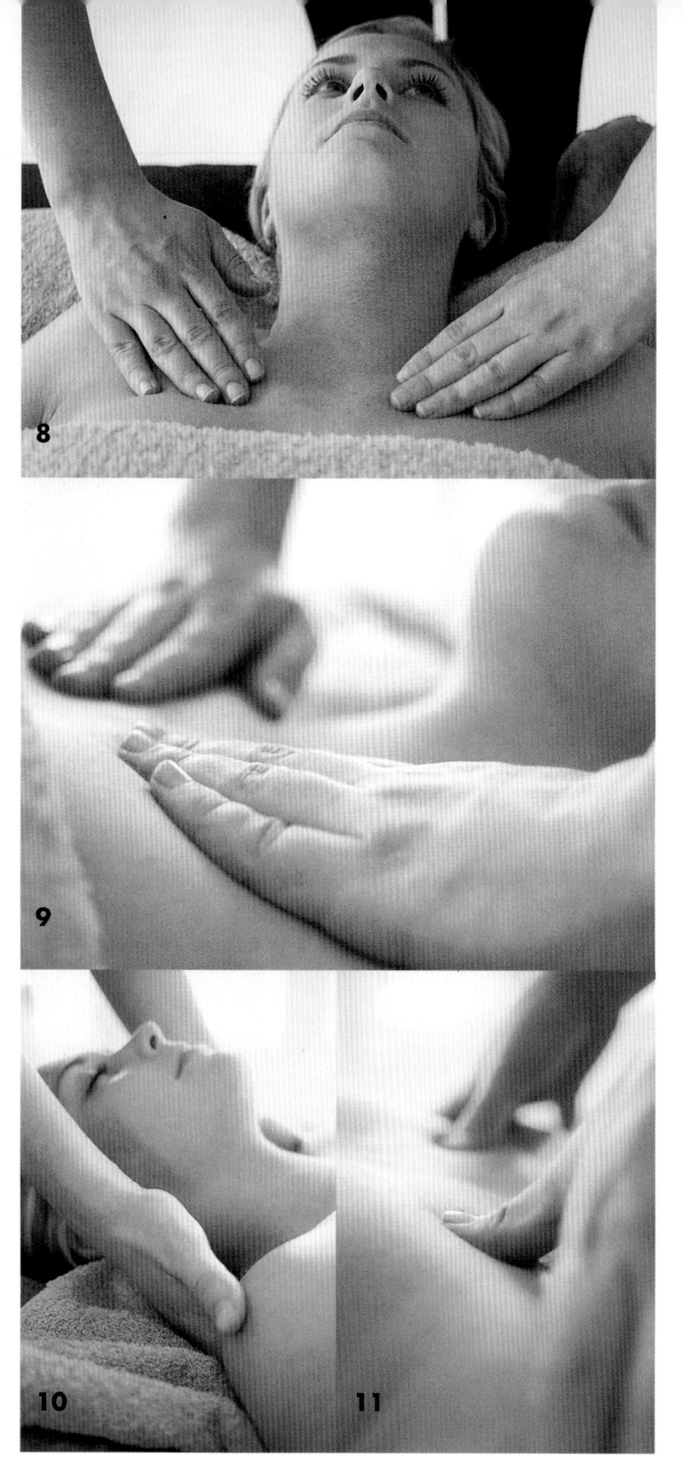

8 Pídele a la otra persona que se dé la vuelta y tápala con toallas. Deja al descubierto el cuello y los hombros. Calienta un poco de aceite entre las manos. Ponlas planas sobre la parte superior de los pectorales y déjalas ahí un momento.

9 Con un movimiento intenso y prolongado, desplaza las manos hasta el centro del pecho y luego hacia los lados.

10 Traslada ese movimiento a la zona de debajo de los hombros y sigue hasta el cuello, estirando los músculos a medida que lo realizas. La espalda y el cuello reposarán más planos en el suelo.

11 Con el movimiento circular del pulgar que empleaste en la espalda, mueve las manos por la parte superior de los pectorales. Empieza justo debajo de la clavícula, masajeando del centro hacia fuera. Repite ese movimiento, cada vez un poco más abajo.

12 Pon las manos, con los dedos apuntando hacia abajo, en la parte superior de los pectorales. Muévelas suavemente por los pectorales y por la mitad superior de los brazos; vuelve a los hombros y termina de nuevo en los pectorales. Repite el movimiento varias veces. Coloca las manos planas en los pectorales y mantenlas ahí uno o dos minutos. Tapa a la otra persona con las toallas y deja que se relaje.

Aceite para masajes relajantes

- 10 gotas de aceite esencial de lavanda
- 10 gotas de aceite esencial de geranio
- 5 gotas de aceite esencial de jazmín

Mezcla los ingredientes con 50 ml de aceite base, como aceite de almendras o aceite de pepitas de uva, y guárdalo en una botella de cristal oscuro.

El masaje facial

Tal vez te sorprenda descubrir que los músculos de la cara acumulan mucha tensión. Las líneas de expresión son un claro síntoma de ello, pero las mandíbulas rígidas, los labios apretados o el entrecejo fruncido son otros signos evidentes de ello. El masaje facial libera esa tensión y te deja una cara visiblemente relajada y, por lo tanto, más joven. Además, como el masaje estimula la circulación sanguínea en la cara, al acabar la sesión deberías tener el cutis más terso y suave.

1 Empieza con una limpieza facial a fondo. Ponte una capa fina de crema hidratante suave que te cubra el cuello y la cara.

2 Pon las manos a la altura de la mandíbula de modo que el dedo corazón quede encima de ésta, en línea con los ojos. Realizando pequeños círculos con los dedos corazón, masajea la mandíbula hasta llegar al centro de la barbilla. Mientras lo hagas mantén la mandíbula relajada. Repite la operación varias veces.

3 Vuelve a la posición inicial del punto 2 y recorre el camino hasta la barbilla pellizcando ligeramente la línea de la mandíbula. Repite la operación varias veces.

4 Para liberar la tensión acumulada en la frente, coloca los dos dedos corazones en el entrecejo y masajea la zona que va hasta las sienes efectuando pequeños movimientos circulares. Repite el movimiento varias veces, empezando cada vez un poquito más arriba hasta que llegues a la línea del nacimiento del pelo.

5 Cógete los lóbulos de ambas orejas con el pulgar y el índice y realiza un suave masaje. Luego haz lo mismo a lo largo de todo el contorno externo de la oreja hasta llegar al punto más alto. Repite la operación cinco veces.

6 Para estimular el área de los ojos empieza con los dedos corazón en la parte inmediatamente inferior a las cejas, junto a la nariz. Entonces, y con pequeños golpecitos con la yema de los dedos, recorre toda la ceja, sigue por la cuenca del ojo, luego la parte superior del pómulo y finalmente la zona entre el ojo y la nariz. Rodea los ojos de este modo cinco veces.

sábado 16:00 **masaje facial**

7 De vuelta a la posición inicial del punto 6, recorre toda la ceja haciendo presión con los dedos pulgar e índice. Luego ve hasta las sienes y, con los dedos índice y corazón, masajéalas suavemente con movimientos circulares. Repítelo cinco veces.

8 Empezando desde la base de la nariz, presiona con los tres dedos centrales debajo del pómulo y ve deslizándolos en dirección a las orejas.

9 Utiliza todos los dedos para darte golpecitos con las yemas por toda la cara con movimientos en espiral, empezando por el contorno de la cara a partir de la frente, continuando por las orejas, la mandíbula, la barbilla. Luego sigue por toda la cara a buen ritmo durante dos minutos.

10 Finalmente, frota las palmas de las manos una con otra y póntelas sobre la cara, de modo que te tapen los ojos y la zona en que la mano se une con la muñeca quede sobre los pómulos. Quédate así durante unos dos minutos.

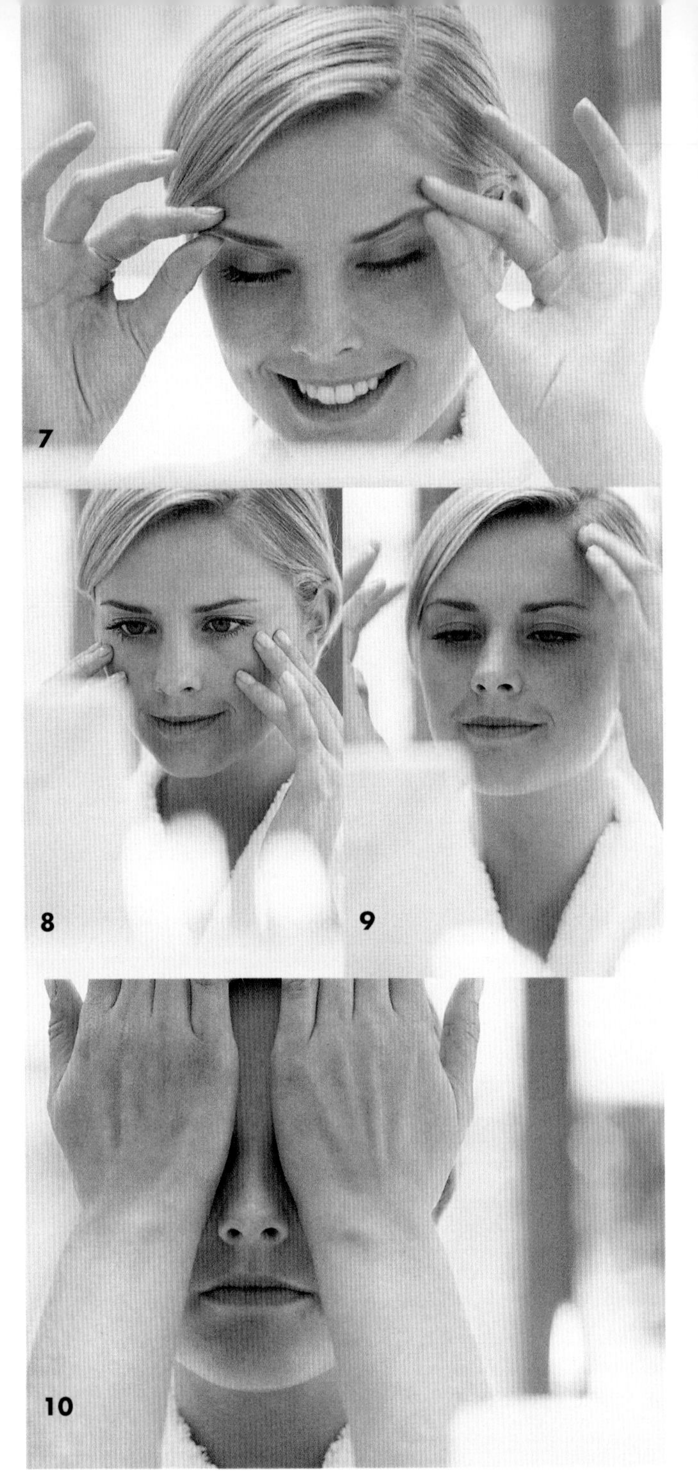

sábado 20:00 técnicas de respiración y meditación

Relajación mediante la respiración

Según el yoga, la mala salud es el resultado de desequilibrios y bloqueos en el fluido energético, o *prana*, a través del cuerpo. En este aspecto, se parece mucho al principio del *chi*, aplicado en disciplinas de medicina china como la acupuntura y la digitopuntura. Se cree que el *prana* penetra en todo lo que nos rodea, y que en el cuerpo humano fluye a través de unos canales llamados *nadis*, que son los equivalentes a los meridianos por los que la medicina china considera que fluye el *chi*.

El *pranayama* se practica mediante la respiración. A diferencia de la circulación sanguínea o la digestión, la respiración se puede controlar de forma consciente, y eso funciona como vínculo entre las partes conscientes e inconscientes del cuerpo.

Los ejercicios del *pranayama* hacen que mejore la entrada de oxígeno en el organismo, la purificación y la circulación de la sangre y la linfa, y que aumente la oxigenación de todas las células del cuerpo. Se cree que mejoran también el grado de atención mental, la concentración y la creatividad, a la vez que suponen una forma de relajación profunda que aporta sensación de calma y serenidad. Si se realiza en momentos de estrés contribuye a eliminar la tensión.

Además, los ejercicios de respiración del *pranayama*, junto con muchas de las posturas de *asanas* o de yoga, refuerzan los músculos que se encargan de la respiración y agrandan los pulmones. Eso es beneficioso para combatir enfermedades respiratorias como la sinusitis y la fiebre del heno, o el asma y la bronquitis. Con la mejora de la circulación y de la postura, el sistema inmunológico se hace más eficiente, y mejora la resistencia a las enfermedades.

En los dos ejercicios de respiración que figuran a continuación, centra tu atención en la respiración y trata de observar su progresión a lo largo del cuerpo.

Meditación

Los ejercicios de respiración son muy relajantes y hacen que el cuerpo baje considerablemente el ritmo. Eso te deja en un estado ideal para meditar, de modo que, en cuanto estés lista, realiza tu segunda sesión de meditación, siguiendo uno de los métodos de la página 51.

Respiración profunda

Este ejercicio ayuda a lograr un ritmo de respiración más lento y profundo que, a su vez, hace que el ritmo del corazón y el pulso se ralenticen.

1 Túmbate en el suelo y pon las manos en el abdomen, juntándolas por las yemas de los dedos. Inspira lenta y profundamente a través de la nariz, mientras cuentas hasta cinco. Los pulmones y el abdomen se ensancharán y tus dedos se separarán.

2 Mantén el aire en los pulmones mientras cuentas hasta cinco y luego, mientras cuentas hasta 10, espira por la boca. Nota cómo las yemas de los dedos vuelven a juntarse y sigue espirando, tratando de sacar todo el aire del cuerpo. Repite la secuencia entera 10 veces.

Respiración alterna

Para este ejercicio siéntate cómodamente en el suelo, con las piernas cruzadas y la columna recta. Si lo prefieres, también te puedes arrodillar y sentarte sobre los talones, o sentarte en una silla. Elige la postura que te resulte más cómoda.

1 Cierra los ojos e inspira. Levanta la mano derecha hasta que esté a la altura de la cara y tápate con el pulgar la ventana derecha de la nariz. Espira lentamente a través de la ventana izquierda y a continuación inspira de nuevo.

2 Ahora cierra la ventana izquierda con los dedos anular y meñique y espira e inspira a través de la ventana derecha. Repite la secuencia entera 10 veces.

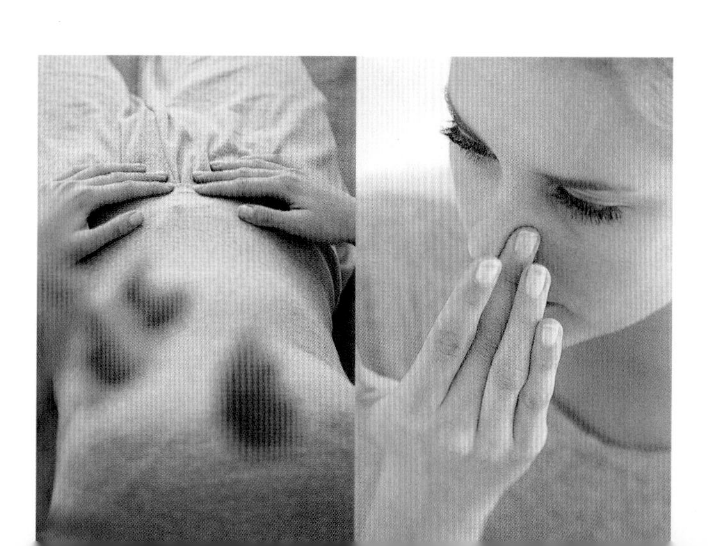

A estas alturas deberías estar más relajada y descansada que cuando te levantaste el sábado. Al igual que ayer, el día comienza con una sesión de yoga. Empieza con el saludo al sol (páginas 62 a 64), que has de repetir entre tres y diez veces en función de tu experiencia y de lo fuerte y flexible que te sientas. Luego sigue con las posturas siguientes. Al igual que con los ejercicios de yoga, realízalas lentamente y no sometas a tu cuerpo a ningún esfuerzo innecesario. Al menor atisbo de molestia o de dolor, abandona la postura, descansa un momento y empieza con otra.

domingo 8:00 yoga, relajación y meditación

Posturas de yoga

Las siguientes posturas estiran, estimulan y dotan de equilibrio a diversas partes del cuerpo. La primera, el triángulo, incluye una torsión lateral muy beneficiosa para la columna y para el equilibrio entre los grupos de músculos.

8:00
Yoga, relajación y meditación
9:00
Desayuno
11:00
Digitopuntura
13:00
Comida
15:00
Aromaterapia facial
16:00
Meditación
18:00
Cena
20:00
Baño de aromaterapia
22:00
Dormir

El triángulo

1 Ponte de pie con los pies juntos, la espalda recta y mirando al frente. Separa los pies entre 60 y 90 cm y gira el pie derecho hacia fuera de modo que describa un ángulo recto respecto del cuerpo. El pie izquierdo debería estar dirigido ligeramente hacia la derecha.

- Inspira profundamente y levanta los brazos hasta la altura de los hombros, en paralelo al suelo. Al espirar, realiza una torsión hacia la derecha, coloca la mano derecha encima del muslo de la pierna derecha y ve bajándola hasta que estés lo más cerca posible del suelo. No hagas rotar el cuerpo mientras bajas: las caderas deben estar siempre mirando hacia delante.

2 Levanta el brazo izquierdo con los dedos apuntando hacia el techo y la palma de la mano mirando hacia atrás. Gira la cabeza para mirar la mano. Nota cómo se te tensan el costado izquierdo y los pectorales. Respira hondo un mínimo de 3 veces y un máximo de 10.
Al inspirar, desliza la mano derecha hacia arriba por el muslo y ve bajando la izquierda hasta que vuelvas a estar de nuevo mirando al frente. Repite la operación hacia la izquierda. Realiza tres estiramientos hacia cada lado.

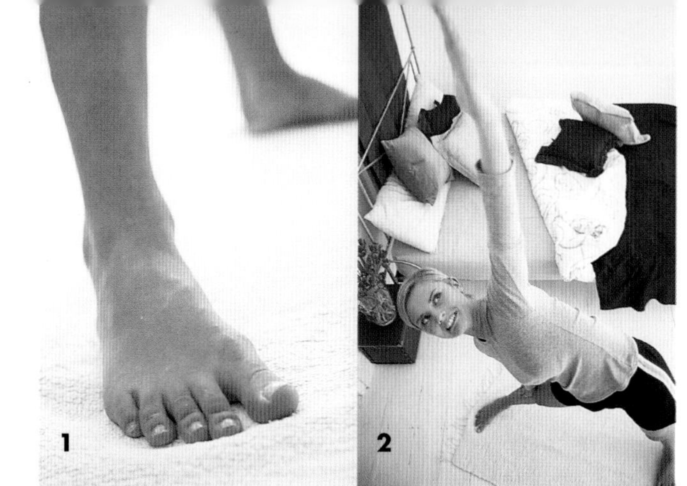
1 2

La cobra

Esta postura estira la parte delantera del cuerpo y comprime la columna. Los movimientos deben realizarse lentamente, tanto al levantar el cuerpo del suelo como al volver a bajarlo.

1 Túmbate boca abajo en el suelo, con las piernas juntas y los dedos de los pies apuntando en dirección opuesta a ti. Coloca las manos planas en el suelo, a la altura del pecho. Deberías tocar el suelo con la frente.

2 Inspira profundamente y poco a poco empieza a levantar la cabeza; notarás cómo se estira la zona de las cervicales. Mira hacia el suelo para que no se estire demasiado. Espira.

3 Inspira de nuevo y sigue levantando la cabeza.
Al hacerlo, deberías de tener que levantar el pecho del suelo. Pon las manos enfrente y apóyate en ellas para levantar toda la caja torácica del suelo. Mira al frente. Cuando te hayas levantado al máximo, sin llegar a notar un dolor excesivo, apóyate bien en las manos, espira y, si puedes, aguanta la posición mientras respiras unas cuantas veces más.

- Inspira profundamente y regresa a la posición inicial, pasando en orden inverso por todas las posturas que has realizado al subir. Descansa un momento y, si te parece que vas a poder, repite todo el movimiento una vez más.

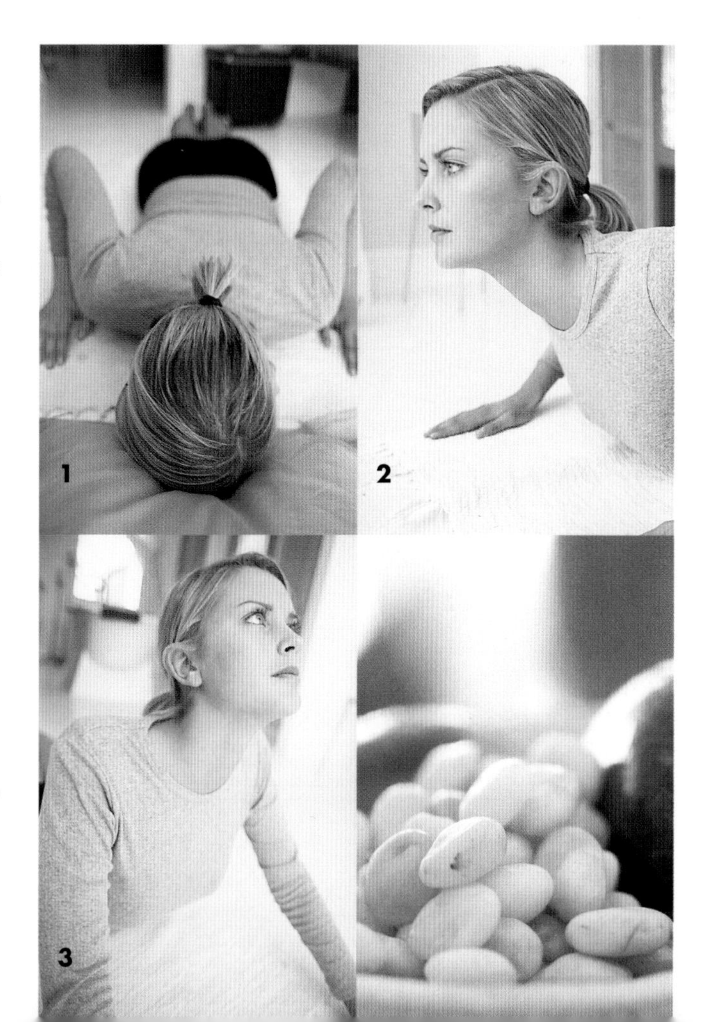
1 2 3

La vertical sobre los hombros y el carro

La vertical sobre los hombros hace aumentar el fluido de energía, mejora la circulación y estimula la glándula tiroidea. También ayuda a tener mayor conciencia del cuerpo. El carro es otra postura invertida, o *asana*, que calma la mente pero que a la vez estimula el cuerpo.

Precaución: no realices la vertical sobre los hombros ni el carro si estás menstruando o si tienes problemas de espalda. Si padeces hipertensión o problemas de cuello, consulta con tu médico antes de realizar estas posturas.

1 Échate de espaldas, con los brazos a los lados, e inspira a la vez que doblas las rodillas hacia el pecho. Espira y estira las piernas tanto como puedas, aunque sin llegar a una postura incómoda, y echándolas hacia atrás de modo que las caderas empiecen a separarse del suelo.

2 Apoya la espalda sobre las manos y aprovecha ese apoyo para levantar un poco más las piernas. El objetivo es lograr que las piernas queden rectas y perpendiculares, mientras tú te apoyas en los hombros.

3 Si eres capaz de poner las piernas en posición vertical, aguántalas ahí, respirando lentamente, entre uno y tres minutos. En esa posición puedes estirar y flexionar los pies para ayudar a que las piernas se relajen.

- Sin embargo, esta postura te puede parecer algo difícil al principio, y tal vez te resulte más cómodo sostenerlas en un ángulo de 45 grados. Si es así, pasa al punto 4.

4 Desplaza las piernas por encima de la cabeza y, si puedes, pon los pies en el suelo detrás de ti, con las puntas de los pies estiradas y las piernas rectas. Ésta es la postura del carro.

- Cuando te sientas segura en esa posición, coloca las manos detrás de ti, planas en el suelo. Respira varias veces en esa posición.
- Para terminar tienes dos opciones. La primera es volver a la vertical sobre los hombros y luego terminar tumbada aplicando los dos primeros pasos de forma inversa y con movimientos también lentos. La segunda es ir desenroscándote lentamente para acabar también tumbada sin pasar por la vertical sobre los hombros.

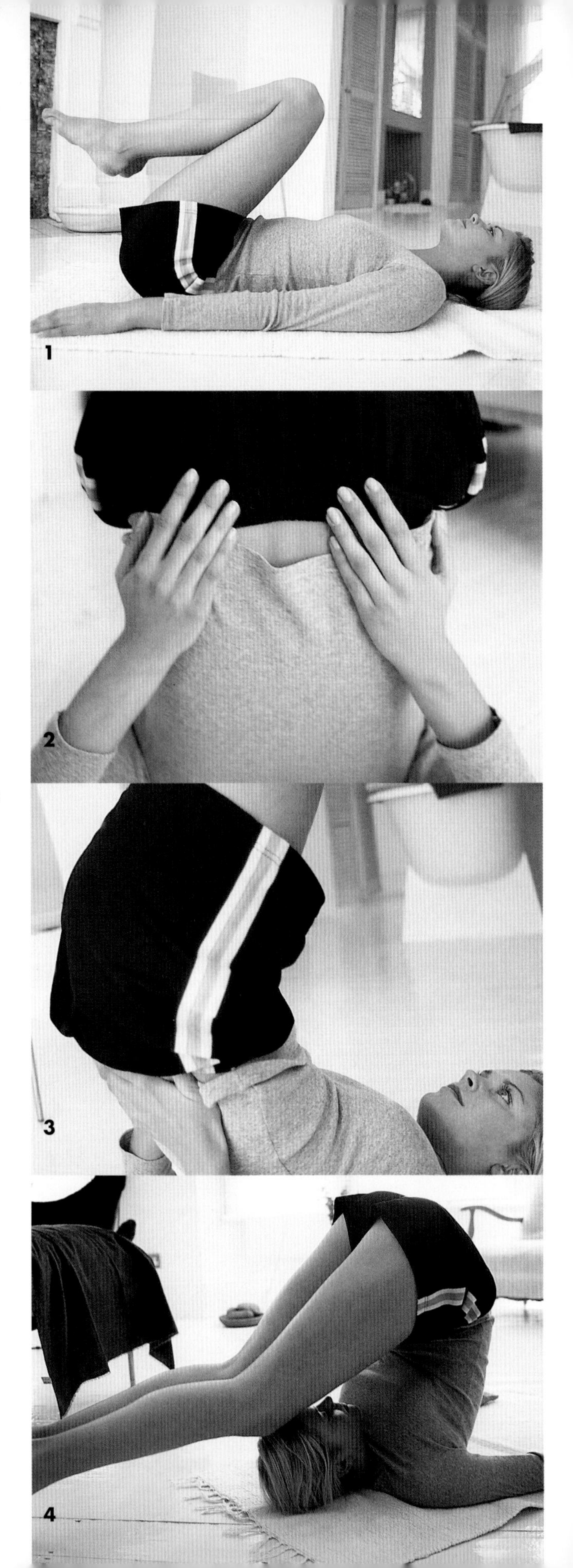

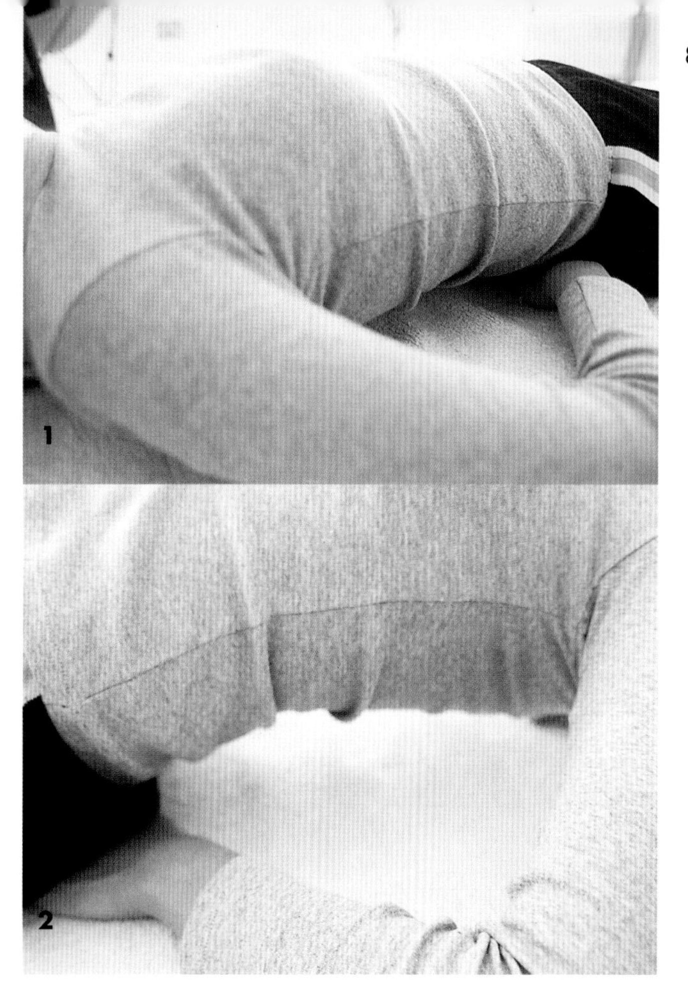

El pez

Esta postura ensancha el pecho y comprime las vértebras de la columna; por ello es una contra-posición a la vertical sobre los hombros.

Precaución: no realices este ejercicio si tienes problemas de cuello. Si padeces hipertensión evita poner la cabeza en el suelo en el punto 2, ya que en la parte superior de la cabeza hay un punto de presión vital. Como alternativa, puedes doblar la cabeza hasta que esté a unos 2,5 cm del suelo.

1 Échate de espaldas con las piernas juntas delante de ti y las puntas de los pies estiradas. Levanta la espalda del suelo.

2 Arquea la espalda, apoyándote en los codos, con los antebrazos en el suelo y las palmas hacia abajo. Pon la cabeza de modo que la parte superior de ésta apunte hacia el suelo. Aguanta la posición y respira varias veces.

- Deslízate para que la parte superior de la cabeza, primero, y el cuello, después, entren en contacto con el suelo. Relájate un rato.

Relajación y meditación

Al final de esta larga sesión de yoga, dedica por lo menos los últimos 5 minutos a una de las posturas de relajación, bien la postura del muerto, bien la del niño (página 65). Ahora, tu estado mental es ideal para la meditación. Medita durante 20 minutos y, si lo deseas, realiza la sesión de relajación y meditación (páginas 70 y 71).

domingo 8:00 **yoga, relajación y meditación**

Digitopuntura

La digitopuntura aporta muchos de los efectos beneficiosos de la acupuntura, con la gran ventaja de que puedes aplicártela tú misma, y de que no hay agujas de por medio. Como en todos los tipos de medicina china, el principio subyacente es que la circulación fluida de la energía corporal, o *chi* (que viaja a través del cuerpo por unos canales llamados meridianos), es la clave de la salud y el bienestar. Si el flujo de energía se bloquea como resultado de alteraciones físicas o emocionales, el cuerpo pierde el equilibrio. Si se recupera el flujo de *chi*, se recupera la salud.

Es muy probable que el estrés afecte al fluido de *chi*. Puede manifestarse por medio de múltiples síntomas y dolencias, como dolor de cabeza, trastornos estomacales o insomnio.

domingo 11:00 **digitopuntura**

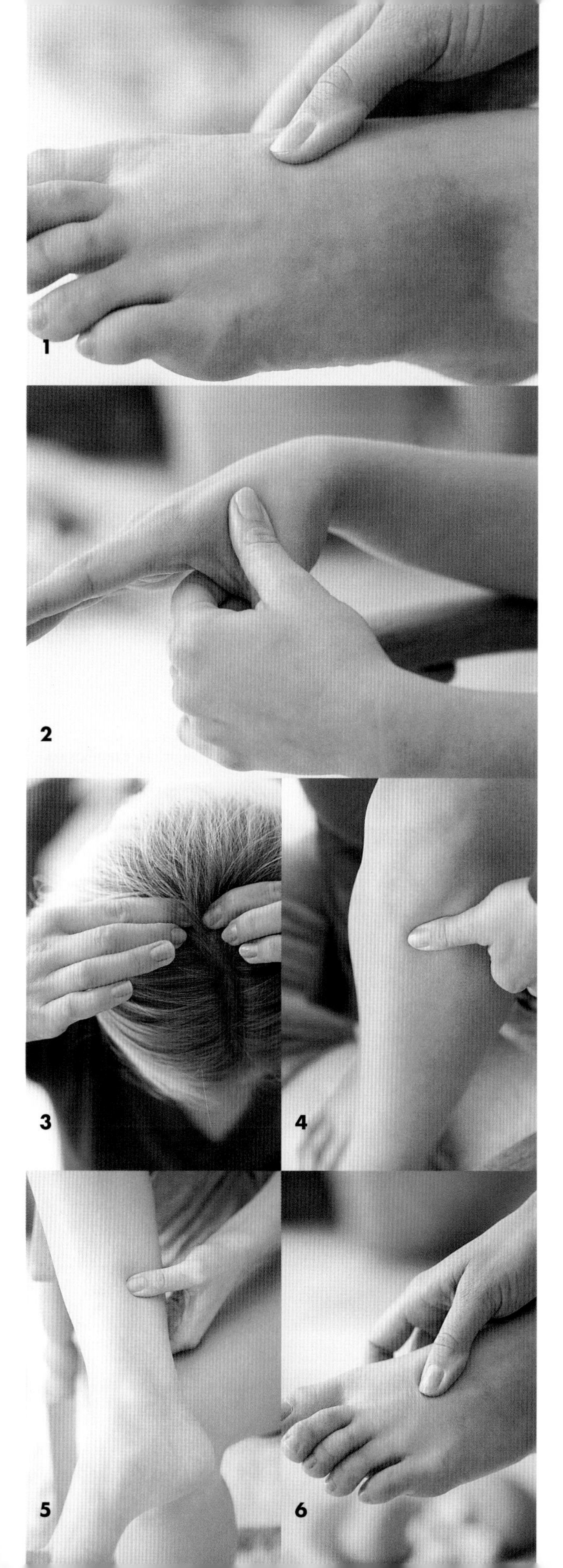

La presión correcta

Puedes utilizar el pulgar o la punta de los dedos para ejercer presión sobre un punto de digitopuntura concreto. Realiza una presión uniforme y firme con el dedo sobre el punto en cuestión y mantén una presión constante durante dos minutos.

Existen dos puntos de presión principales para aliviar el estrés general, ambos muy fáciles de localizar en tu propio cuerpo.

1 Punto de presión del pie

Este punto se encuentra más o menos en medio del empeine, donde se unen los huesos del dedo gordo y del segundo.

2 Punto de presión de la mano

Este punto se encuentra en la membrana entre el pulgar y el dedo índice, en el dorso de la mano.

3 Punto de presión de la cabeza

Este punto se encuentra justo en el centro de la parte superior de la cabeza.

Precaución: no presiones este punto si padeces hipertensión.

4 Dolores de cabeza

El punto de presión del pie, además de aliviar el estrés en general, alivia también los dolores de cabeza. Existe otro punto que se encuentra cuatro dedos por debajo de la rodilla, en la parte exterior de la tibia.

5 Insomnio

El punto de presión contra el insomnio se encuentra cuatro dedos por encima del hueso del tobillo, en la cara interna de la pierna y cerca de la tibia.

Precaución: jamás presiones en este punto en caso de embarazo.

6 Indigestión

Este punto de presión te ayudará a aliviar los ardores y las náuseas. Debes buscarlo en el empeine del pie, donde se encuentran los huesos del segundo y el tercer dedo.

Tratamiento de aromaterapia para el cabello

Antes de empezar el tratamiento facial, aplícate un tratamiento de aromaterapia en el cabello (véase el cuadro). Cuando tengas la receta preparada, reparte la mezcla por todo el pelo, masajeando bien para que penetre en el cuero cabelludo e intentando no dejarte zonas por cubrir. Líate una toalla a la cabeza y sigue con el tratamiento facial. Deja que los aceites actúen por lo menos el mismo rato que los de la cara, aunque si quieres puedes dejarlos actuar durante toda la noche y lavarte el pelo cuando te duches por la mañana.

domingo 15:00 **aromaterapia facial**

Mascarillas limpiadoras

Para pieles secas:
Pon 2 cucharaditas de miel líquida pura en un bol.
Añade 2 gotas de aceite de lavanda y 2 gotas de rosa.
Mézclalo bien.

Para pieles normales o grasas:
Pon 2 cucharaditas de yogur natural en un bol y añade 2 gotas de aceite de limón y 2 gotas de aceite de ciprés.
Mézclalo bien.

Tónicos faciales

Pon 50 ml de agua mineral en un pulverizador pequeño.

Para pieles normales o secas:
Añade 4 gotas de aceite de lavanda, 4 gotas de aceite de rosa y 2 gotas de geranio. Agítalo para mezclarlo bien.

Para pieles grasas:
Añade 4 gotas de lavanda, 4 gotas de vetiver y 2 gotas de bergamota. Agítalo para mezclarlo bien. Vaporiza sobre la cara y el cuello con los ojos cerrados.

Acondicionadores cutáneos de aceites esenciales

La receta es para varias aplicaciones. Disuelve los aceites esenciales en 50 ml de cualquier aceite vegetal prensado en frío o, si tienes la piel seca o sensible, aceite de caléndula o de germen de trigo.

Para pieles secas:

rosa	10 gotas
lavanda	10 gotas
sándalo	5 gotas

Para pieles normales o grasas:

limón	10 gotas
lavanda	10 gotas
ciprés	5 gotas

Para pieles maduras:

incienso	10 gotas
neroli	10 gotas
rosa	5 gotas

Tratamientos capilares con aceites esenciales

Disuelve los siguientes aceites esenciales en 50 ml de aceite vegetal.

Para pelo graso:

madera de cedro	10 gotas
lavanda	10 gotas
uva	5 gotas

Para pelo seco o castigado:

palisandro	10 gotas
lavanda	10 gotas
sándalo	5 gotas

1 Empieza con una limpieza cutánea a fondo. Utiliza un limpiador que se pueda eliminar con agua. Con la piel aún húmeda, puedes exfoliarla con una esponjita de sisal, especialmente diseñada para la cara. Para ello realiza pequeños movimientos circulares, evitando la zona de los ojos y centrándote en la frente, la nariz, la barbilla y las mejillas. Aclara bien con agua limpia.

2 Tonifica la piel con agua de flores. Si utilizas una marca comercial, busca una sin alcohol ya que no es bueno para la piel. También puedes preparar fácilmente tu propio tónico (mira en la página anterior, Tónicos faciales).

3 Ponte una mascarilla limpiadora en la cara y el cuello, evitando la zona de los ojos. Los restos de mascarilla puedes utilizarlos para hidratar el reverso de las manos. Puedes comprar una mascarilla limpiadora preparada o hacerla tú misma (mira en la página anterior, Mascarillas limpiadoras).

- Para preparar una compresa para los ojos, mezcla una gota de aceite de camomila en 1 l de agua fría. Mézclalo bien. Empapa dos algodoncitos con la mezcla y escúrrelos para que no queden excesivamente mojados. Póntelos sobre los ojos. Relájate con la máscara y las compresas puestas durante 10 minutos. Aclara con agua fría.

4 Aplícate el acondicionador cutáneo de aceites esenciales (mira en la página anterior) más apropiado a tu tipo de piel. También puedes usarlos de forma regular como hidratantes de noche. Aplícate la mezcla sobre la cara y el cuello. Déjala actuar durante 20 minutos y luego enjuágate la cara. También puedes dejártela puesta mientras tomas un baño o durante toda la noche. Al finalizar el tratamiento facial y el capilar deberías sentirte muy relajada; éste es el momento perfecto para la meditación de la tarde.

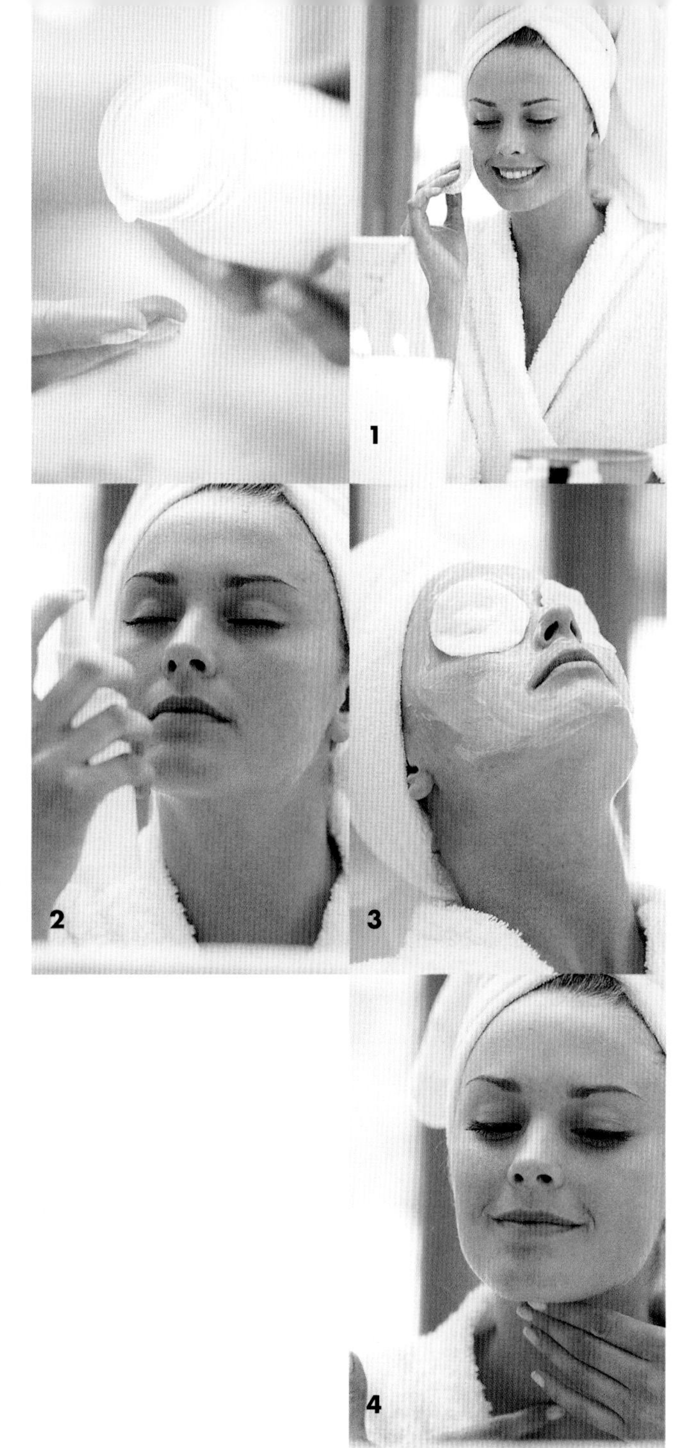

Este tratamiento facial limpia a fondo y rejuvenece la piel. Puedes comprar productos que contengan aceites esenciales o preparar tú misma los que aparecen a la izquierda usando aceites de aromaterapia y otros ingredientes naturales. Si lo deseas, puedes aplicar el tratamiento en el pelo y en las manos al mismo tiempo.

viernes

19:00
Entrenamiento autógeno

19:30
Cena

22:00
Entrenamiento autógeno

sábado

8:00
Entrenamiento autógeno

8:30
Calentamiento y estiramientos

9:30
Bebida energética o muesli

10:00
Friegas con sal

10:30
Aromaterapia

11:30
Entrenamiento autógeno

12:00
Comida

15:00
Ayurveda

17:00
Entrenamiento autógeno

18:00
Cena

22:00
Entrenamiento autógeno

domingo

8:00
Entrenamiento autógeno

8:30
Calentamiento y estiramientos

9:30
Bebida energética o muesli

10:00
Ducha (con friegas de sal opcionales)

10:30
Reflexología

11:00
Entrenamiento autógeno

12:00
Comida

15:00
Chi kung

17:00
Entrenamiento autógeno

18:00
Cena

22:00
Entrenamiento autógeno

El fin de semana

Este fin de semana es el apropiado para aquellas personas que se encuentren siempre cansadas, y que rinden al 80 % (o incluso menos) de sus posibilidades reales. Este fin de semana debería ser un tónico que te pusiera en forma, que potenciara tu sistema inmunológico y que aumentara tus niveles de energía. Si cuando te levantas estás cansada pero te gustaría estar lista para hacer lo que fuera, o si sales de un resfriado para caer en una gripe y nunca te sientes completamente sana, tienes la solución en tus manos.

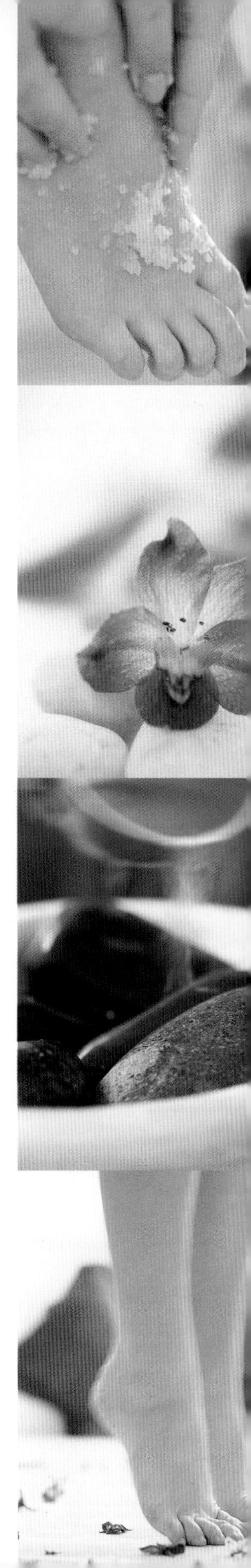

fin de semana para **recuperar energías**

viernes

19:00
Entrenamiento autógeno
19:30
Cena
22:00
Entrenamiento autógeno

viernes 19:00 **entrenamiento autógeno**

El entrenamiento autógeno (EA) es una forma de relajación muy parecida a la meditación. El estrés mina el sistema inmunológico en la misma medida en que lo hacen la contaminación o una mala dieta. El EA es una técnica que se puede utilizar como terapia de relajación a largo plazo o como recurso rápido para casos puntuales de estrés. Es fácil y rápido de realizar, y merecería ser más popular.

Lo ideal sería aprender la técnica del EA junto a un terapeuta experto, pero por desgracia, los profesores de EA aún escasean, de modo que aquí hemos incluido los rasgos fundamentales de la técnica. Probablemente, notarás que a lo largo del fin de semana no necesitas ir más allá del nivel 3, ya que cuanto más tiempo dediques a cada nivel, mayores serán las probabilidades de que logres relajarte a fondo.

No se trata en absoluto de una carrera. Si notas que al empezar una sesión llegas muy rápido a un estado de relajación, puedes tratar de pasar al nivel siguiente, pero no tiene ninguna importancia si no pasas del nivel uno.

Cada sesión dura un tiempo concreto que va aumentando con cada nivel. Puedes repetir todos los niveles a medida que vayas avanzando, pero asegúrate de que haces por lo menos cuatro sesiones al día. Las mejores horas son al levantarte, a media mañana justo antes de comer, a media tarde, antes de cenar y antes de meterte en la cama. Se trata de una forma muy efectiva de inducir un sueño profundo.

Durante el entrenamiento autógeno puedes estar o bien sentada, o bien tumbada. Para aprender la técnica es una buena idea buscar una habitación tranquila en la que nadie vaya a molestarte. Sin embargo, a medida que vayas cogiendo experiencia te darás cuenta de que puedes realizarlo en cualquier lugar y situación (en la oficina, en el metro o antes de una entrevista) como recurso inmediato para aliviar el estrés.

Como pasa con los diversos tipos de meditación y relajación, deberías centrar la mente con tranquilidad, sin preocuparte de si ésta se deja llevar hacia otros pensamientos. Limítate a hacerla volver con suavidad a donde tiene que estar. El EA se basa en concentrarse progresivamente en diversas partes del cuerpo y la consecuente sensación de relajación física induce a la relajación mental. Centra la mente en la zona física específica de cada nivel y no te preocupes si al principio no notas la pesadez: ya llegará. Tampoco te preocupes si tienes otro tipo de sensaciones físicas, como por ejemplo falta de sensibilidad o sensación de estar flotando ya que son normales.

Cuando practiques la técnica en la cama o en el suelo, échate de espaldas con los brazos a los lados en una posición natural. Si la practicas sentada, asegúrate de que tienes la espalda bien apoyada para poder estar recta, los pies planos en el suelo y las manos descansando sobre los muslos. Empieza con algunos movimientos lentos, respirando pausada y profundamente. Cuando hayas finalizado la sesión, siéntate en silencio con los ojos cerrados un momento y, plácidamente, deja que tu atención vuelva sobre las cosas que te rodean.

Nivel 1

Cierra los ojos y repite tres veces para ti misma, en silencio, cada una de las frases que figuran más abajo. Piensa las frases muy lentamente y haz una pausa después de cada repetición. Deja una pausa mayor antes de cambiar de frase para dar tiempo a tu mente a concentrarse. Si lo haces a la velocidad correcta tardarás por lo menos tres minutos (lo ideal sería acercarse a los cinco) en repetir todas las frases. En cada frase deja que toda tu concentración se dirija a la parte del cuerpo en cuestión.

- Me pesa el brazo derecho.
- Me pesa el brazo izquierdo.
- Me pesan los dos brazos.
- Me pesa la pierna derecha.
- Me pesa la pierna izquierda.
- Me pesan las dos piernas.
- Me pesan los brazos y las piernas.

Los niveles del 2 al 6 se encuentran en las páginas 122 a 125.

fortalecer el sistema inmunológico

Si estás baja de energías o pasas una enfermedad detrás de otra, tal vez lo que sucede es que tienes un sistema inmunológico débil. La mejor manera de fortalecerlo es la dieta. Hay una serie de nutrientes necesarios para funcionar correctamente y combatir las enfermedades.

La Organización Mundial de la Salud (OMS) ha reconocido la importancia de las vitaminas A, C y E a la hora de combatir con éxito numerosas enfermedades. El problema es que la mayoría de los alimentos no aportan esas vitaminas en cantidades suficientes. Además, existen otras vitaminas y varios minerales que también son esenciales para gozar de buena salud. Por todo ello, el consejo para mantener un sistema inmunológico saludable es que eliminemos de nuestra dieta, por lo menos en parte, los alimentos excesivamente procesados o con demasiadas grasas y que los sustituyamos por productos naturales y frescos, especialmente fruta, verdura y legumbres, y un poco de carne magra y de pescado.

La dieta de este fin de semana se basa en estos alimentos. Si tras este fin de semana incorporas algunos de estos cambios a tu dieta habitual, puede resultarte muy útil, al cabo de un mes, hacer un fin de semana para eliminar toxinas y, al siguiente, hacer otro fin de semana para recuperar energías.

Las recetas incluidas en estas páginas te permitirán cubrir todas las comidas y cenas del fin de semana. Si controlas la proporción entre fibra y verduras frescas, puedes preparar platos muy rápidos, como un simple bocadillo vegetal con pan integral. Otra cena buenísima es patata al horno con pasta de garbanzos (humus), acompañada de ensalada.

La cena debería consistir en una comida ligera (una sopa o una patata al horno son ideales). Para desayunar toma una bebida energética o un muesli; todas estas recetas puedes encontrarlas en las páginas 104 y 105. Bebe mucho líquido (zumos de fruta o de verdura, agua e infusiones) de modo que ingieras por lo menos 2 litros al día. Evita el té y el café.

Comidas que fortalecen el sistema inmunológico

Las sopas son especialmente buenas si hace frío, ya que son nutritivas y muy reconfortantes. Otro aspecto favorable es que puedes prepararlas en grandes cantidades y guardarlas en la nevera.

Sopa de calabacín y jengibre

Para 4 personas

2 cucharadas de aceite de oliva
250 g de cebolla picada
1,5 kg de calabacines, cortados a rodajas gruesas
1 l de caldo de verduras
1 cucharada de raíz de jengibre rallada
una pizca de nuez moscada rallada
375 g de patatas cortadas
sal
pimienta
150 ml de yogur natural para la guarnición

1 Calienta el aceite en una cazuela a fuego lento y fríe la cebolla hasta que esté blanda. Añade el calabacín y déjalo durante 5 minutos, removiendo de vez en cuando.

2 Añade el caldo, el jengibre y la nuez moscada, y salpimenta. Llévalo a ebullición, echa las patatas y baja el fuego. Déjalo hervir a fuego lento y parcialmente tapado entre 40 y 45 minutos.

3 Pásalo por la batidora hasta obtener un puré, devuélvelo a la cazuela y vuelve a calentarlo un poco. Sirve con cucharadas de yogur.

Sopa de lentejas y tomate

Para 4 personas

425 g de tomates enteros en lata
2 cucharadas de aceite de oliva
1 cebolla grande picada
125 g de lentejas rojas
600 ml de caldo de verduras
sal
pimienta
Para la guarnición:
2 cucharadas de yogur natural
un manojo de cebollino cortado

1 Escurre los tomates y reserva el jugo. Córtalos a grandes trozos.

2 Calienta el aceite en una cazuela y añade la cebolla. Cocínala a fuego lento hasta que esté blanda y doradita. Añade las lentejas, el caldo de verduras, los tomates a trozos y el zumo que habías reservado. Llévalo a ebullición y remueve de vez en cuando. Baja el fuego, tápalo y déjalo cocer a fuego lento 15 minutos.

3 Pásalo por la licuadora hasta obtener un puré, devuélvelo a la cazuela y salpiméntalo. Vuelve a calentarlo un poco y sírvelo aderezado con el yogur y el cebollino.

Intenta hacer la comida principal del día al mediodía, ya que así le darás tiempo a tu cuerpo para digerir la cena antes de acostarte. Para la cena es ideal algo más ligero, como una ensalada o una sopa. Los productos integrales son una gran fuente de nutrientes y de fibra, de modo que siempre que te sea posible utiliza arroz integral o *basmati* (con algo de arroz salvaje mezclado para darle sabor) y pasta integral.

Este fin de semana, la carne de vaca y el pollo serán exquisiteces, no la base de la dieta. Asegúrate de que compras carne magra y, a ser posible, biológica. Intenta comprar siempre pescado fresco en la pescadería; los supermercados también suelen tener pescado fresco. Consume el pescado antes de que pasen 24 horas desde que lo compraste.

Una macedonia o una fruta son dos buenas maneras de acompañar cada comida. Si no, puedes tratar de preparar alguna de las recetas de la página 96.

Pimientos rellenos

Esta receta es para cuatro personas, pero si comes sola puedes utilizar la misma cantidad de relleno y, después del paso 2, congelar lo que sobre.

300 ml de agua
½ cucharadita de sal
175 g de arroz integral
4 tomates sin piel troceados
1 cebolla rallada
25 g de pasas sin hueso
75 g de queso Cheddar rallado
2 cucharadas de perejil picado
una pizca de canela
4 pimientos verdes o rojos, sin pepitas ni corazón y con la parte del troncho cortada y reservada
5 cucharadas de caldo vegetal
pimienta

1 Lleva el agua a ebullición con la sal; añade el arroz y cuécelo durante 30 minutos (o durante el tiempo que se indique en el envase) hasta que el arroz esté blando y haya absorbido el agua.

2 Aparta el arroz del fuego y añádele los tomates, la cebolla y las pasas. Añade dos tercios del queso Cheddar, el perejil y la canela. Sazona con pimienta.

3 Si es necesario, corta una capa fina de la base de los pimientos para que se aguanten de pie. Ponlos en una bandeja para el horno.

4 Rellena los pimientos con la mezcla, échales el queso que queda por encima y tápalos con las partes del troncho que teníamos reservadas. Vierte el caldo alrededor de los pimientos y cúbrelos con papel de aluminio. Ásalos en un horno precalentado a 200 °C durante 30 o 40 minutos hasta que estén tiernos.

Tagliatelle con salsa de tomate

Esta receta es para seis personas. Si sólo quieres una ración, congela la salsa que sobre y utiliza sólo los *tagliatelle* que hagan falta.

2 cucharadas de aceite de oliva
2 cebollas cortadas
2 dientes de ajo majados
500 g de tomates de pera, pelados y cortados
2 cucharadas de puré de tomate
125 ml de caldo de verduras
unas cuantas aceitunas negras, deshuesadas y troceadas
un manojo de hojas de albahaca picadas
250 g de *tagliatelle* (en crudo)
sal
pimienta
25 g de virutas de queso parmesano, para la guarnición (opcional)

1 Calienta la mitad del aceite de oliva en una sartén grande. Añade la cebolla y el ajo y saltéalos hasta que se ablanden, removiendo de vez en cuando.

2 Añade los tomates, el puré de tomate con el caldo y remueve todo bien. Hazlo a fuego suave hasta que la mezcla se reduzca y espese. Echa las aceitunas, la albahaca y salpimenta.

3 Mientras tanto, echa los *tagliatelle* en una olla de agua hirviendo con sal. Cuécelos a fuego vivo hasta que estén *al dente*.

4 Escúrrelos, mézclalos con el resto de aceite y salpimenta. Pon la pasta en una fuente, vierte la salsa de tomate encima y remuévelo un poco. Si te apetece, cúbrelo con las virutas de parmesano.

Ensalada tibia de pato y naranja

Para una persona

½ cucharada de aceite de oliva
1 cucharadita de aceite de sésamo
1 pechuga de pato sin huesos ni piel
1 calabacín en rodajas
½ diente de ajo picado
1 naranja pequeña, pelada y desgajada
125 g de hojas de lechuga
1 ración de aliño de estragón (véase la ensalada Jersey Royal de la página 39) sustituyendo el limón por naranja
sal
pimienta
Para el aderezo:
semillas de sésamo tostadas
la cáscara de ½ naranja cortada a tiras

1 Calienta los dos aceites en una sartén grande, añade el pato y hazlo entre 5 y 7 minutos a fuego bastante vivo. Dale la vuelta una vez hasta que esté tostado por fuera, pero aún poco hecho por dentro. Pásalo a una fuente y mantenlo caliente.

2 Echa el calabacín en la sartén y añádele el ajo. Fríelo sin parar de remover entre 1 y 2 minutos. Pásalo a un bol y añádele los gajos de naranja. Mientras tanto prepara el aliño.

3 Dispón unas cuantas hojas de lechuga en una bandeja. Corta la pechuga de pato en rodajas y colócalas con la lechuga, el calabacín y la naranja. Vierte el aliño y sirve tibio, aderezado con las semillas de sésamo y las tiras de cáscara de naranja.

Pollo *tandoori*

Esta receta es para cuatro personas. Divide las cantidades por dos o por cuatro si vais a comer uno o dos.

4 pechugas de pollo
1 diente de ajo majado
1 cucharada de *tandoori* en polvo
300 ml de yogur natural desnatado
aros de cebolla para el aderezo
lechugas diversas como acompañamiento

1 Hazle unos cortes a la pechuga de pollo y frótala con el ajo. Pon el pollo en una fuente grande y llana. Mezcla el *tandoori* en polvo con el yogur y remueve el pollo en la salsa. Colócalo en el congelador a marinar durante 3 horas.

2 Calienta el grill a temperatura media. Saca el pollo de la salsa y ponlo a hacer al grill durante unos 20 minutos, dándole vueltas a menudo y regándolo con la marinada.

3 Pasa el pollo a una bandeja de servir caliente, aderézalo con los aros de cebolla y sírvelo acompañado de una ensalada mixta.

Pudín de verano

Esta receta es para cuatro personas. Si sois menos comensales puedes guardarlo en la nevera y comer pudín unos cuantos días seguidos.

250 g de grosella roja
125 g de grosella negra
125 g de frambuesas
125 g de frambuesas norteamericanas
125 g de fresas
125 g de cerezas o de moras
1 cucharada de miel pura
margarina para engrasar
8 rebanadas gruesas de pan integral sin corteza

1 Pon toda la fruta en una cacerola (que no sea ni de aluminio ni de hierro fundido) junto con la miel y cuécela a fuego muy suave entre 2 y 3 minutos.

2 Engrasa con la mantequilla la base de un molde para pudín de 1,25 l y cúbrela con tres cuartas partes del pan, disponiendo las rebanadas de modo que toda la superficie quede cubierta y que la base tenga una capa de grosor extra.

3 Vierte toda la fruta y reserva dos cucharadas del jugo por si cuando retiras el pudín ves que alguna parte del pan no ha cogido el color de la fruta. Cubre con el resto del pan. Colócale encima una bandeja o un plato que encaje en el borde del molde y ponle un peso de 1 kg encima. Déjalo reposar entre 10 y 12 horas.

4 Para servir, dale la vuelta y córtalo en porciones.

Fruta caliente con especias

Esta receta es para varias personas, pero aguantará bien en el congelador durante unos días. Además, es bueno como postre y como desayuno. Sírvela con yogur natural.

75 g de orejones de albaricoque
75 g de orejones de melocotón
50 g de higos secos
50 g de pasas de Corinto
300 ml de zumo de manzana
6 clavos
½ cucharadita de raíz de jengibre rallada

1 Corta los albaricoques y los melocotones. Quítale el rabito a los higos y córtalos también. Pon toda la fruta en un bol y cubre con el zumo de manzana y las especias.

2 Mételo en la nevera, déjalo reposar 3 o 4 días y sírvelo en boles.

Ensalada de rape

Para 4 personas

500 g de filete de rape sin piel
425 g de pimientos de lata escurridos
5 cucharadas de aceite de oliva
1 cucharada de semillas de cilantro majadas
1 cebolla cortada a láminas
2 dientes de ajo picados
3 cucharadas de alcaparras, limpias y secas
½ cáscara de limón cortada a tiras finas
125 g de lechuga
Vinagreta de cilantro y menta
Un puñado de hojas de cilantro picadas
Un puñado de hojas de menta picadas
1 cucharada de vinagre balsámico
sal
pimienta

1 Corta el pescado en rodajas finas y resérvalo. Lava los pimientos bajo el grifo, escúrrelos bien y sécalos con papel de cocina. Córtalos a tiras.

2 Calienta el aceite en una sartén. Añade las semillas de cilantro y hazlas a fuego suave unos segundos. Luego añade la cebolla y déjala unos 5 minutos, removiendo a menudo para que se ablande pero no se dore. Añade el ajo y fríelo un minuto más.

3 Sube un poco el fuego y añade el pescado a la sartén. Fríelo, removiendo de vez en cuando, entre 3 y 4 minutos, o hasta que el pescado esté duro y adquiera un tono opaco.

4 Baja el fuego, añade el pimiento, las alcaparras y la cáscara del limón. Aparta la sartén del fuego y déjala enfriar unos minutos. Saca el rape y apártalo.

5 Para preparar la vinagreta, añade el cilantro y la menta a la mezcla de la sartén. Añade también el vinagre balsámico, salpimenta al gusto y remueve.

6 Sirve el pescado sobre una base de hojas de lechuga con la vinagreta por encima.

Filetes de atún con aguacate

Para dos personas

2 cucharadas de aceite de oliva
2 filetes de atún
1 cucharadita de cebollino cortado para la guarnición
hojas de lechugas variadas para acompañar
Salsa de aguacate:
1 aguacate maduro pelado y deshuesado
3 cucharadas de yogur natural «bio»
1 cucharadita de zumo de limón

1 Calienta el aceite en una sartén y fríe despacio los filetes de atún, dándoles la vuelta a menudo, hasta que estén bien hechos. Apártalo del fuego.

2 Mientras tanto, prepara la salsa. Chafa el aguacate en un bol con un tenedor. Añade el yogur y el zumo de limón.

3 Sirve el atún en los platos y echa una cucharada de salsa encima de cada filete. Adereza con el cebollino y sirve con una ensalada mixta.

sábado

8:00 Entrenamiento autógeno	**11:30** Entrenamiento autógeno
8:30 Ejercicios de calentamiento y estiramientos	**12:00** Comida
9:30 Bebida energética o muesli	**15:00** Ayurveda
10:00 Friegas con sal	**17:00** Entrenamiento autógeno
10:30 Aromaterapia	**18:00** Cena
	22:00 Entrenamiento autógeno

sábado 8:30
calentamiento y estiramientos

Nada más levantarte esta mañana prepárate una infusión: te rehidratará y te preparará para afrontar el día. Los ejercicios que realizarás cada mañana después de la sesión de EA se basan en los estiramientos, que calientan el cuerpo y le dan energía. Si lo deseas, puedes hacer lo que aquí indicamos, aunque si tienes la costumbre de hacer ejercicio, simplemente haz el calentamiento primero y luego sigue con los ejercicios que suelas hacer. Cuando hayas acabado, realiza estiramientos. No te canses por intentar hacer más de lo que haces normalmente: este fin de semana se trata de generar más energía de la que gastes. Un paseo a buen ritmo es una buena manera de hacer ejercicio. También lo es saltar un poco en un trampolín ya que aporta mucha energía al organismo y, además, resulta muy divertido.

Lo ideal es hacer el calentamiento antes del ejercicio de aeróbic, y los estiramientos, después, cuando el cuerpo esté más caliente y puedas estirar mejor. Para el ejercicio de aeróbic es ideal un paseo a buen ritmo. Anda por lo menos durante 20 minutos.

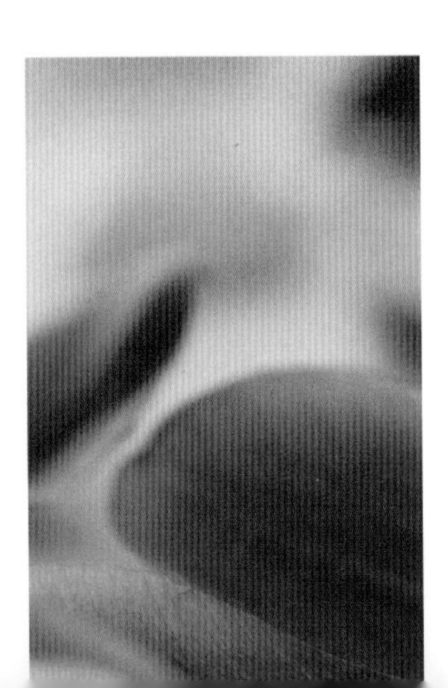

Estirar los brazos

1 Adopta una buena postura, con los hombros relajados, la espalda recta y la barriga algo contraída. Separa los pies ligeramente.

2 Levanta el brazo izquierdo hacia el techo y, a la vez, dobla la rodilla izquierda y nota cómo te tira todo el costado.

- Repite el estiramiento en el lado derecho. Realiza 10 estiramientos en cada lado.
- Ahora estira los brazos hacia fuera a la altura de los hombros.
- Alterna los brazos y realiza 10 estiramientos en cada lado.

Desentumecer los hombros

1 Adopta la misma posición inicial que en los estiramientos de brazos. Lentamente, mueve los hombros hacia el pecho. Mantén los brazos relajados y deja que se muevan por cuenta propia.

2 Levanta los hombros hacia arriba y luego échalos hacia la espalda hasta que los omoplatos se junten ligeramente. Devuelve los hombros a su posición natural. Repite el movimiento tres veces más, cambia de dirección y realiza cuatro rotaciones más.

Rotación de cintura

1 Adopta la misma posición inicial que en los estiramientos de brazos. Cruza los brazos en el pecho, a la altura del esternón, sin hacer mucha fuerza.

2 Haz una rotación hacia la derecha sólo de la cintura para arriba. Las caderas deben permanecer encaradas hacia delante. Vuelve al centro y repite el movimiento hacia la izquierda. Realiza la rotación alternativamente, 10 veces a cada lado.

Torsiones laterales

1 Adopta la misma posición inicial que antes, con los brazos colgando a los lados. Luego coloca la mano izquierda en la cadera y levanta el brazo derecho.

2 Dóblate hacia la izquierda, notando cómo te estira todo el lado derecho.

- Vuelve al centro y realiza 8 estiramientos más hacia el mismo lado; luego haz lo mismo hacia el otro lado.

Balanceo de piernas

1 Ponte derecha, con los talones juntos y las puntas de los pies ligeramente separadas. Si fuera necesario, apóyate en el respaldo de una silla con el brazo derecho. Levanta la pierna izquierda y balancéala hacia delante.

2 Luego balancéala hacia atrás. Sigue balanceando la pierna hacia delante y hacia atrás, moviéndola relajadamente desde la cadera. La propia cadera, al igual que la parte superior del cuerpo, debería permanecer recta y quieta. Tal vez el balanceo te resulte más sencillo si proyectas el brazo izquierdo hacia fuera, sin llegar a la altura de los hombros. Realiza 10 balanceos y luego repítelos con la otra pierna.

Aquí terminan los ejercicios de calentamiento, y es el momento de que hagas algo de aeróbic. Lo ideal es un paseo a buen ritmo; anda, por lo menos, durante 20 minutos.

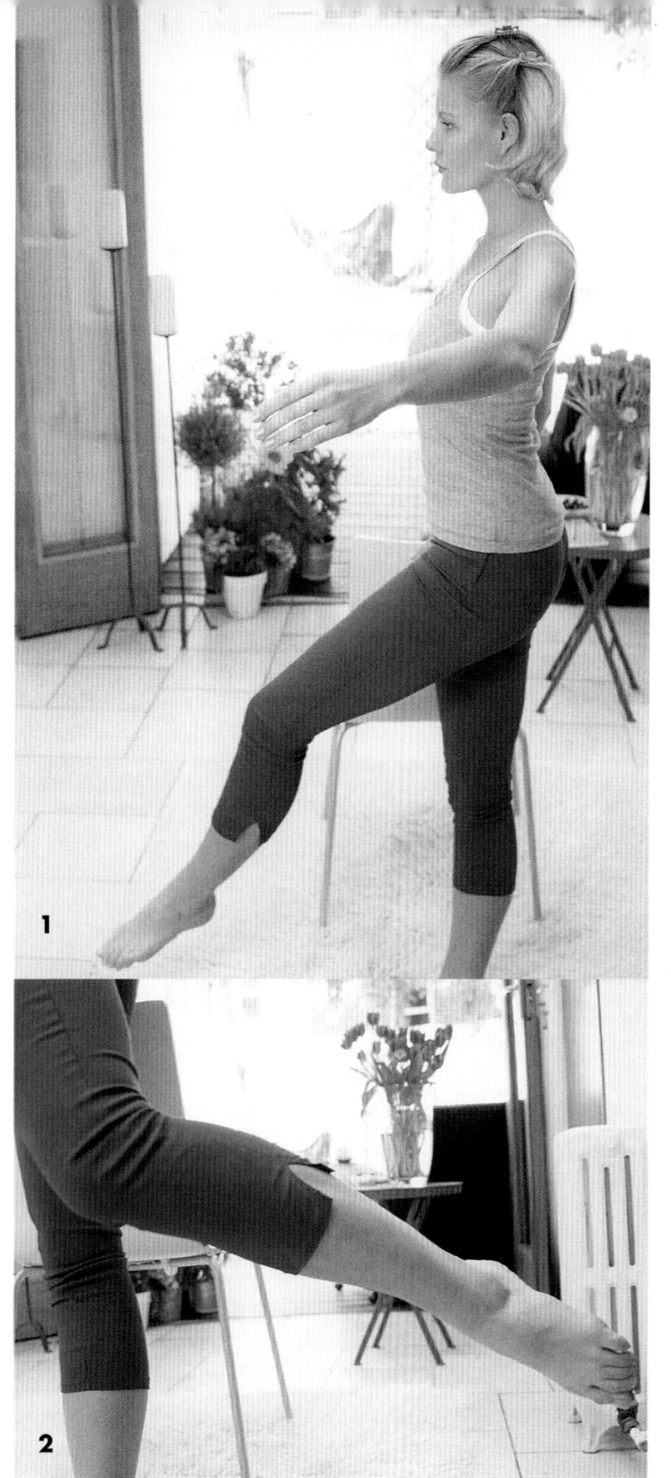

Según lo acostumbrada que estés a hacer ejercicio, realiza estos estiramientos sin forzar demasiado. Sin embargo, no te pases ni en la intensidad del estiramiento ni en las repeticiones.

Estiramiento de espalda

1 Ponte con la espalda recta, la barriga ligeramente contraída, los hombros relajados y los pies a una distancia que te resulte cómoda. Dóblate por la cintura y apoya las manos en el respaldo de una silla o en el lateral de una mesa. Deberías llegar lo justo para apoyarte y notar que la espalda se te estira mucho. No tenses los hombros y pon la espalda recta como una tabla.

Rotaciones de cabeza

1 Ponte con la espalda recta, con la barriga ligeramente contraída, los hombros relajados y los pies a una distancia que te resulte cómoda. Si te es posible, realiza este ejercicio delante de un espejo. Mira al frente y obsérvate a los ojos.

2 Deja caer la barbilla sobre el pecho y nota cómo se estira la parte superior de la espalda. Trata de relajarte mientras aguantas esa posición un momento.

3 Sin tensar ni mover los hombros, gira la cabeza hacia el hombro derecho. Luego vuelve al centro y gírala hacia el hombro izquierdo. Alternando la dirección, estira el cuello 4 veces hacia cada lado.

4 Vuelve a levantar la cabeza y mira al frente. Luego gira la cabeza de modo que mires por encima del hombro izquierdo. Mantén la posición un momento y luego gira a la derecha. Estira 4 veces hacia cada lado.

Levantar las piernas

1 Échate en el suelo, con los brazos a los lados y las piernas juntas. Asegúrate de que no tienes ninguna parte del cuerpo en tensión. Levanta la pierna izquierda, con la punta del pie apuntando al techo. Si eres lo bastante flexible puedes seguir estirando una vez sobrepasada la posición vertical. Si quieres, puedes atarte un pañuelo en el tobillo y ayudarte a estirar.

- No trates de estirar más allá de lo que te resulte cómodo. Trata de relajarte mientras mantienes la posición entre 1 y 2 minutos (notarás cómo la pierna va bajando cada vez más). Repite la operación con la pierna derecha.

sábado 8:30
calentamiento y estiramientos

Estiramiento diagonal

1 Túmbate en el suelo igual que en el ejercicio anterior, pero con los brazos abiertos en cruz. Dobla las rodillas hasta que apunten al techo y los pies queden planos en el suelo.

2 Deja caer las rodillas a la derecha y al mismo tiempo gira la cabeza para mirar a la izquierda. Intenta mantener los hombros pegados al suelo. Deberías notar un intenso estiramiento que te cruzará el cuerpo en diagonal. Mantén la posición durante un minuto. Vuelve a poner las rodillas en el centro y déjalas caer a la izquierda a la vez que giras la cabeza hacia la derecha. Realiza el estiramiento de forma alterna cuatro veces a cada lado, manteniendo la posición cada vez.

El gato

Ésta es una posición de yoga que estira la columna y proporciona fuerza y flexibilidad.

1 Arrodíllate en el suelo, con las manos delante para adoptar la forma de una mesa. Intenta mantener la espalda lo más recta posible y la cabeza en línea con ella.

2 Contrae la barriga y arquea la espalda hacia arriba, dejando caer la cabeza. Vuelve a poner la espalda recta como antes. Si tienes problemas de espalda haz sólo estos dos primeros pasos y repítelos cuatro veces.

3 Levanta la cabeza y las nalgas hacia el techo, la espalda debe dibujar una curva cóncava. Mira al techo si puedes. Vuelve a la posición inicial y repite la secuencia completa cuatro veces más.

En este fin de semana puedes elegir desayunar muesli (ver la página siguiente) o una bebida energética (véase más abajo). La bebida contiene yogur «bio», que es bueno para el sistema digestivo; la fruta y la miel te dan un buen empujón a primera hora y siguen aportándote energía durante el resto de la mañana.

Puedes variar el sabor del batido diariamente con un simple cambio de fruta. Si quieres que sea dulce, échale plátano. Por sí sola, ya es una bebida excelente, pero puedes añadir algunas frutas más. La fruta carnosa le dará más sabor y un toque exótico: el melocotón, los albaricoques, la papaya y el mango sirven para ese propósito. Si deseas un sabor más ligero y fresco, prueba las fresas o las frambuesas. Las frutas muy ácidas no quedan nada bien, pero un poco de coco fresco rallado va de maravilla.

Durante este fin de semana, si puedes, intenta evitar la cafeína. Si no hay más remedio y tienes que beber café, tómate una tacita ahora, no más adelante. Realmente te da un empujón, pero se trata de una oleada de energía engañosa, y comer o beber uno de los desayunos que te recomendamos es una forma mucho más sana de recuperar energías. En vez de café, bebe un vaso de zumo de frutas o una infusión de hierbas.

Bebe mucha agua durante todo el día (por lo menos 2 litros), pero bebe sólo agua filtrada o embotellada.

sábado 9:30 bebida energética o muesli

Batido de yogur

Para una persona

1 vaso de yogur natural «bio»
1 cucharadita de miel (o una cucharada si te gustan las cosas dulces)
fruta, por ejemplo plátanos, melocotones, mangos y fresas

1 Mete todos los ingredientes en una batidora y mézclalos bien.

2 Echa el batido en un vaso y tómatelo.

Muesli

Esta receta está basada en la versión original creada por el Dr. Max Bircher-Benner, famoso médico suizo. Puedes añadir otras frutas a la receta básica: el plátano a rodajitas queda buenísimo. Las frambuesas, las moras y otras frutas de verano le dan un toque de frescor. Otra opción es añadir frutos secos en remojo, que aportan sabor y sustancia al muesli.

- 2 cucharadas de copos de avena
- 2 cucharadas de pasas o pasas de Corinto
- 4 cucharadas de zumo de manzana o de piña
- 1 manzana o una pera
- 1 cucharada de nueces picadas
- ½ cucharadita de jengibre en grano
- 1 cucharadita de miel (opcional)
- 2 cucharadas de yogur natural «bio»

1 Pon los copos de avena y las pasas en remojo en el zumo de piña o de manzana durante toda la noche.

2 A la mañana siguiente, ralla la manzana o la pera y añádelo a los copos, las nueces, el jengibre y, si te gusta lo dulce, la miel.

3 Vierte el yogur encima del muesli y sírvelo.

Ésta es la versión ligera de un tratamiento que se realiza en muchos balnearios europeos, pero te garantiza el empezar el día con mucha más energía. Las friegas con sal tienen multitud de efectos positivos, y todos ellos suponen un estímulo para el organismo.

- Limpia los poros y elimina las células muertas, por lo que la piel está mucho más fresca y suave.
- Estimula la circulación y la eliminación de toxinas a través del sistema linfático.
- Estimula la renovación celular.
- Hará que tu piel esté mucho más luminosa y llena de energía.

sábado 10:00 **friegas con sal**

Preparar las friegas con sal

Existen en el mercado una gran cantidad de exfoliantes, pero uno de los mejores es la sal, sin más. Es recomendable que uses sal marina gruesa, no sal fina (excepto en la cara, como se explica más adelante). Puedes aplicártela directamente encima de la piel con las manos, pero resulta mucho más sencillo utilizarla mezclada con aceite de oliva o de sésamo. La pasta resultante tiene la virtud añadida de que, además, nutre la piel. Necesitarás un puñado de sal gruesa y dos cucharadas de aceite de oliva o de sésamo. Si deseas darle un olor menos funcional, añádele una sola gota de aceite esencial de rosa o de lavanda. Mezcla bien todos los ingredientes en un bol y llévatelo al baño. La temperatura en el baño debe ser cálida, y debes tener a mano buenas toallas y un albornoz.

Antes de comenzar las friegas deberías exfoliarte la cara y el cuello. Para ello necesitarás preparar otra mezcla, esta vez con sal fina, ya que la sal gorda sería demasiado agresiva para la delicada piel de la cara. Utiliza aceite aunque tengas la piel grasa.

Friegas con sal en la cara

1 Humedécete la cara y el cuello con una toallita y agua caliente. Cuando esté húmeda masajéate la cara con la mezcla de sal fina, empezando por el cuello. Utiliza los dedos índice y medio, y realiza movimientos circulares desde la base del cuello hasta la mandíbula. Empieza por el centro y ve desplazándote a los lados.

- Aplícate la mezcla de sal en toda la cara excepto la zona de los ojos. Siguiendo con los pequeños movimientos circulares, masajea siguiendo la línea de la mandíbula, desde la barbilla hasta los ojos.

2 A continuación, y usando solamente el índice de ambas manos, realiza pequeños movimientos circulares empezando en el entrecejo y siguiendo en dirección a la línea de nacimiento del pelo; resigue esa línea hasta las sienes. Repite el movimiento empezando desde el centro de la frente y pasando, finalmente, por la línea sobre las cejas hasta las sienes.

- Una vez más, y usando solamente los dos índices, exfolíate la nariz de arriba abajo, luego por los lados, y después vuelve haciendo círculos hasta el punto de inicio. Repite la operación tres veces. Luego, empieza justo desde debajo de la nariz y masajéate encima del labio superior y pasa a la zona de debajo del labio inferior, y a la zona de la barbilla. Finalmente, con los dedos índice y medio, exfolíate las mejillas. Empieza en los pómulos y haz el masaje de dentro a fuera. Repite el movimiento, bajando cada vez un poquito más hasta que te hayas exfoliado toda la cara.

3 Enjuaga la mezcla de sal echándote agua en la cara, que debería estar ya suave y luminosa.

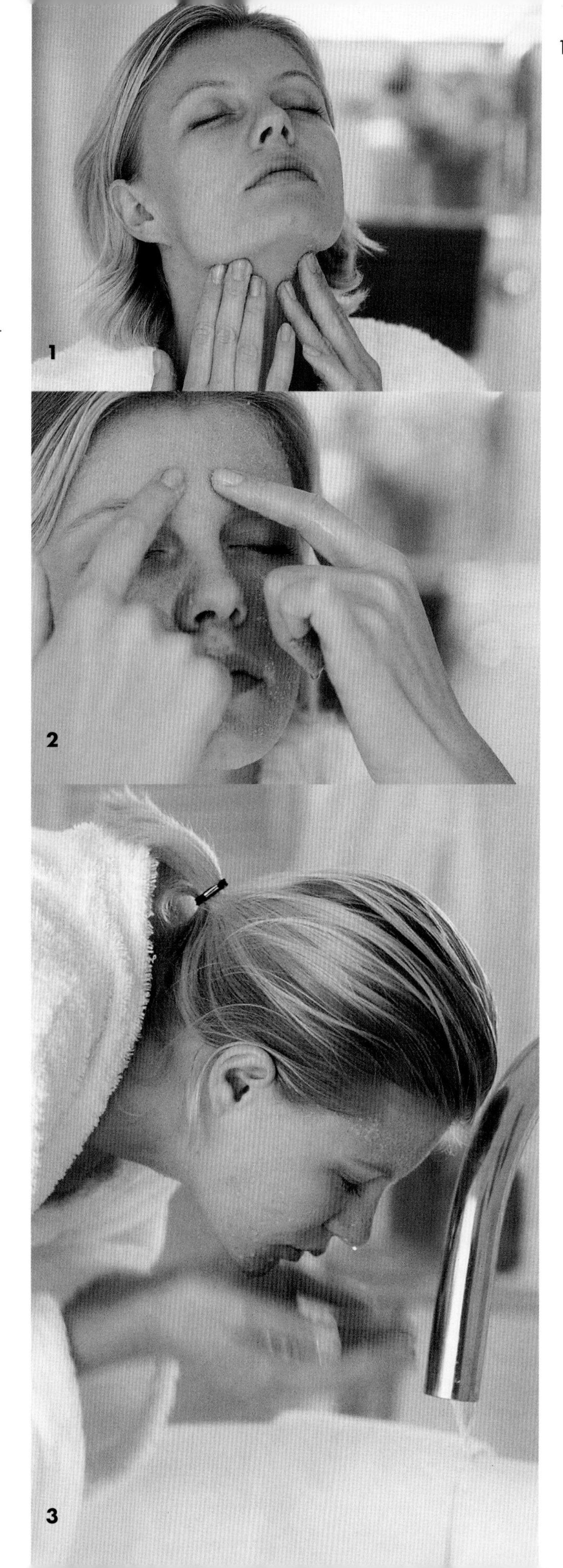
1
2
3

Friegas con sal en el cuerpo

1 Date una ducha de agua caliente durante 1 o 2 minutos y asegúrate de que todo tu cuerpo queda mojado. Sal de la ducha, échate un poco de la mezcla con sal gruesa en la mano y, empezando en los pies, masajéatelos haciéndola penetrar en la piel con movimientos circulares con toda la mano. Frótate también las plantas de los pies.

2 Ve subiendo poco a poco por las piernas sin dejar de hacer movimientos circulares. Dedícales atención especial a los muslos y las nalgas ya que, cuando el organismo es poco activo, éstas son las zonas en las que la celulitis aparece con mayor probabilidad.

- Cubre tanta zona de la espalda como te sea posible y luego masajéate muy suavemente el abdomen y el pecho.
- Finalmente, frótate los brazos, los hombros y las manos.

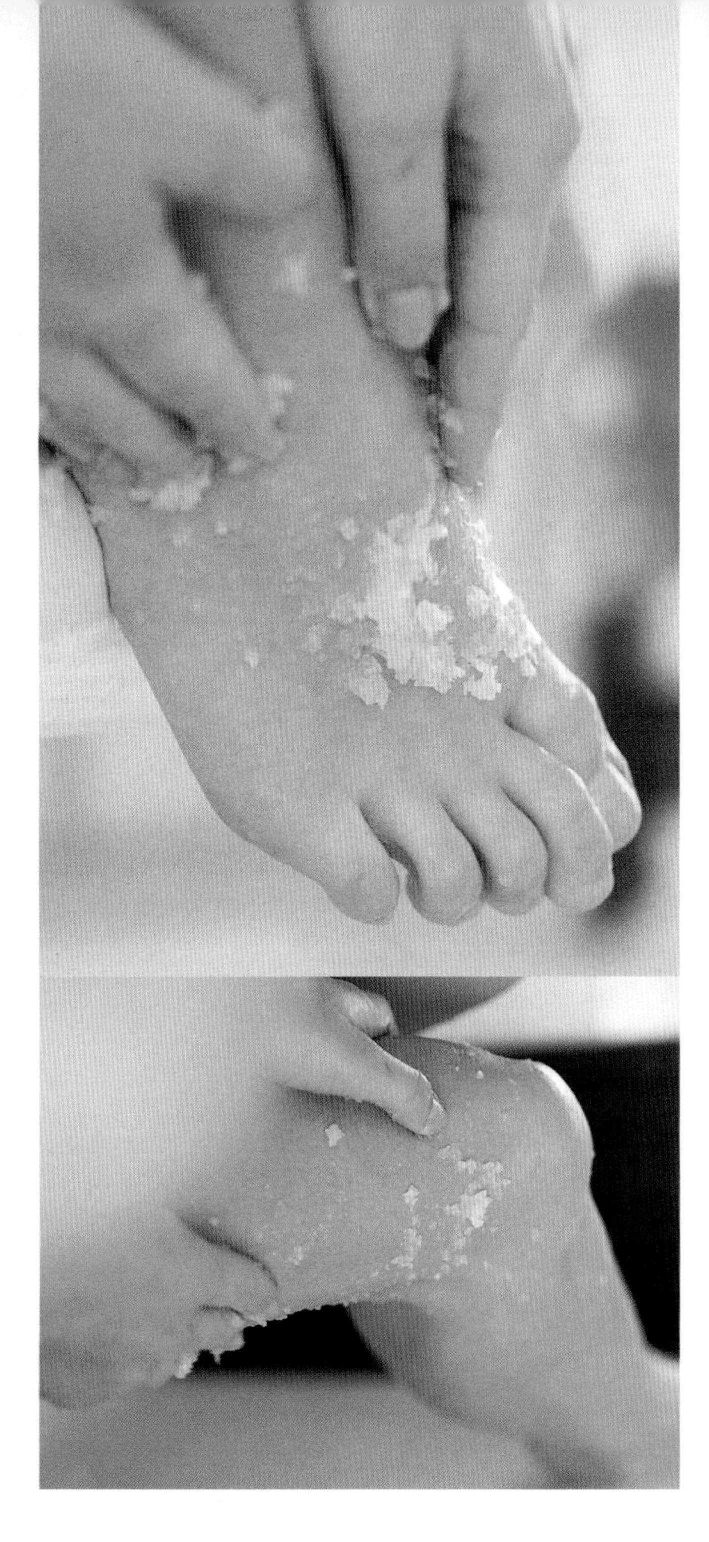

3 Métete en la ducha y, bajo el agua, frota lo que quede sobre la piel hasta que desaparezca por completo. Haz que el agua salga fría (relativamente fría, por lo menos) y permanece bajo el chorro durante un minuto largo, procurando que el agua te llegue a todas las partes del cuerpo.

● Envuélvete en una buena toalla y sécate frotando con fuerza. Ponte un albornoz que caliente y échate cinco minutos. Si tienes aunque sea sólo un poco de frío, métete bajo las sábanas. Deberías notar un leve cosquilleo en todo el cuerpo.

sábado 10:00
friegas con sal

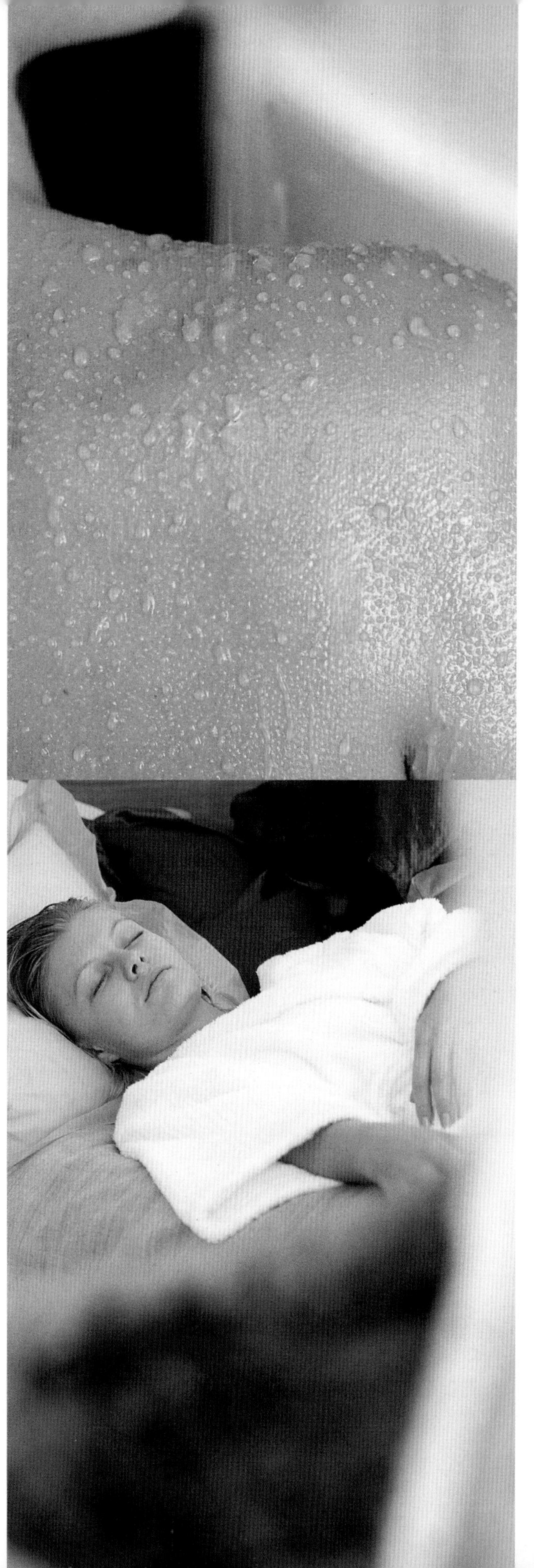

sábado 10:30 **aromaterapia**

Mucha gente cree que los aceites de aromaterapia sirven para aliviar problemas como el insomnio o la ansiedad, y que su efecto es fundamentalmente calmante y tranquilizante. Sin embargo, también pueden tener el efecto opuesto y estimular el organismo.

Después de las friegas con sal, prepara el aceite corporal de aromaterapia (véase página siguiente). Está pensado para que te dé un empujón que te aporte energía para todo el día.

Puedes utilizar los aceites de aromaterapia:

- en un quemador de esencias para perfumar o
- directamente sobre un radiador (aunque durará menos tiempo y, lógicamente, sólo funcionará cuando el radiador esté enchufado).

Uno de los mejores aceites que puedes usar es el de albahaca, que es especialmente estimulante. Otros contienen romero (que da un toque más cálido y enérgico), menta (que es a la vez estimulante y balsámico, especialmente si eres propensa al dolor de cabeza o de estómago), o salvia (que es también un antidepresivo). Utiliza sólo un aceite cada vez. Para cuando no estés en casa, puedes echar dos gotas de uno de estos aceites en un pañuelo y respirarlo cuando sientas que tus fuerzas flaquean.

Atención: no uses aceite esencial de salvia si sufres hipertensión.

Recuerda que el mejor momento del día para la aromaterapia es por la mañana. Si la utilizas a ultima hora del día, el efecto puede ser sobreestimulante y puede producir insomnio. Si padeces fatiga crónica causada, por lo menos en parte, por la falta de sueño tómate un baño de aromaterapia (páginas 56 y 57) antes de irte a la cama, y realiza el último entrenamiento autógeno del día. Una o dos gotas de aceite de lavanda en un pañuelo puesto sobre la almohada harán que la tensión y la ansiedad se disipen y te ayudarán a dormir mejor.

Si no te cuesta dormirte, pero luego te despiertas a medianoche y te desvelas, prueba el automasaje de las páginas 58 y 59, y pon algunas gotas más de lavanda en el pañuelo (el neroli y la mejorana también son efectivos). Lo más importante es que trates de no preocuparte porque no puedas dormir, ya que eso más que ninguna otra cosa puede impedir que vuelvas a conciliar el sueño. La combinación de aceite de lavanda y entrenamiento autógeno funciona, o sea que relájate y deja que hagan efecto.

Aceite corporal de aromaterapia

- Echa 25 ml de aceite base (de pepitas de uva si tu piel es normal o grasa, y de oliva si es seca o madura) en un tarro de cristal.
- Añade 5 gotas de aceite esencial de lavanda, 5 gotas de aceite de baya de enebro y 2 gotas de aceite de ciprés.

Esta mezcla es una forma perfecta de empezar el día ya que:

- estimula la circulación,
- purifica el flujo sanguíneo,
- tiene un efecto a la vez calmante y energizante.

Masajéate todo el cuerpo (excepto la cara) y no te quites el albornoz hasta que lo hayas absorbido.

sábado 15:00 **ayurveda**

El ayurveda es una medicina tradicional india cuyos efectos positivos gozan cada día de mayor reconocimiento. Uno de los tratamientos que aportan energía a la vez que relajan es el *panchakarma*, masaje de ayurveda. Existen muchos tipos distintos de masaje *panchakarma* (PK), y cuantos más masajistas aprenden a realizar el PK, más aumenta la fama de este masaje. Si encuentras a algún masajista que lo conozca, regálate con una cita para este fin de semana.

Se ha observado que los tratamientos de *panchakarma* tienen importantes efectos sobre la mente y el cuerpo, entre los cuales destacan:

- reducir el factor de riesgo de ataques al corazón y enfermedades coronarias en general,
- aumentar la fuerza y la energía,
- mejorar la memoria, la atención y los hábitos de sueño.

El masaje básico es el *abhyanga*, que significa manos tiernas. Se suele empezar por un masaje en la cabeza, la cara y los hombros. Luego se pasa al masaje corporal. Las características más sorprendentes para aquellas personas que están acostumbradas a otros tipos de masaje son que el aceite empleado es aceite de sésamo caliente y que el masaje lo dan dos masajistas a la vez. El efecto es hipnótico: la persona tiene la sensación de que los músculos que están tensos se convierten en líquido cuando se les hecha el aceite encima.

Al *abhayanga* suele seguirle el *shirodhara*, un tratamiento que produce en tu mente los efectos que el *abhayanga* tiene en el cuerpo. Una fina llovizna de aceite de sésamo cae sobre tu frente, yendo lentamente de un lado a otro y deteniéndose casi imperceptiblemente al llegar al centro de las sienes. El *shirodhara* dura 20 minutos y mucha gente compara sus efectos con un trance, el estado de éxtasis al que se llega mediante la meditación. En otros tratamientos se realiza el *pinda swedana*, un masaje que se da con una especie de pudín de arroz con muselina; el *urdvartana*, un masaje estimulante y exfoliante que hace aumentar la circulación y que ayuda a perder peso; y el *pzzichilli*, en el que se vierten literalmente litros de aceite sobre el cuerpo mientras es masajeado durante unas dos horas.

Si no encuentras ningún masajista de PK, tú misma puedes realizar algunos de los masajes en casa. Lo primero que hay que intentar es tener un buen ritmo diario. Según el ayurveda, cada día y cada estación tienen su propio ritmo, y cuanto más te acomodes a él, más sana y fuerte te sentirás. Por ejemplo, irse a dormir pronto es un elemento importante para lograr un buen ritmo diario. También lo son levantarse pronto y comer pronto. La comida principal del día debería hacerse al mediodía, y no por la noche, cuando tendría que ser más ligera.

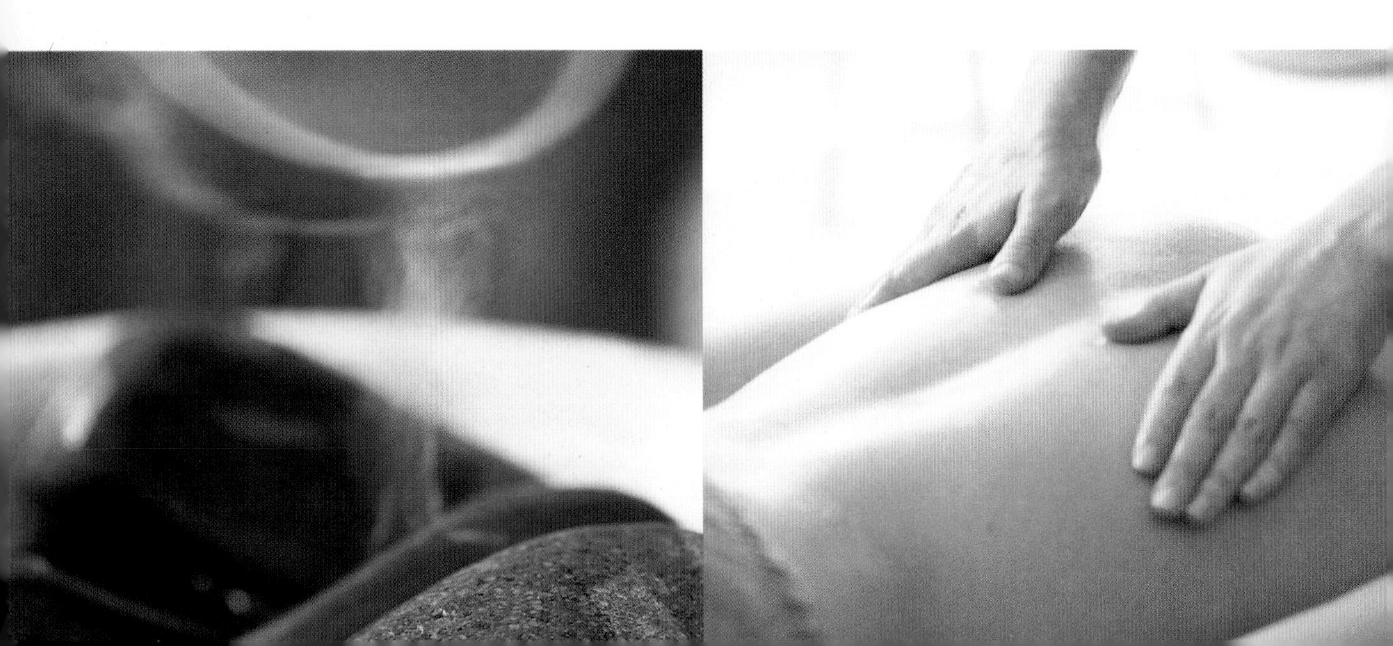

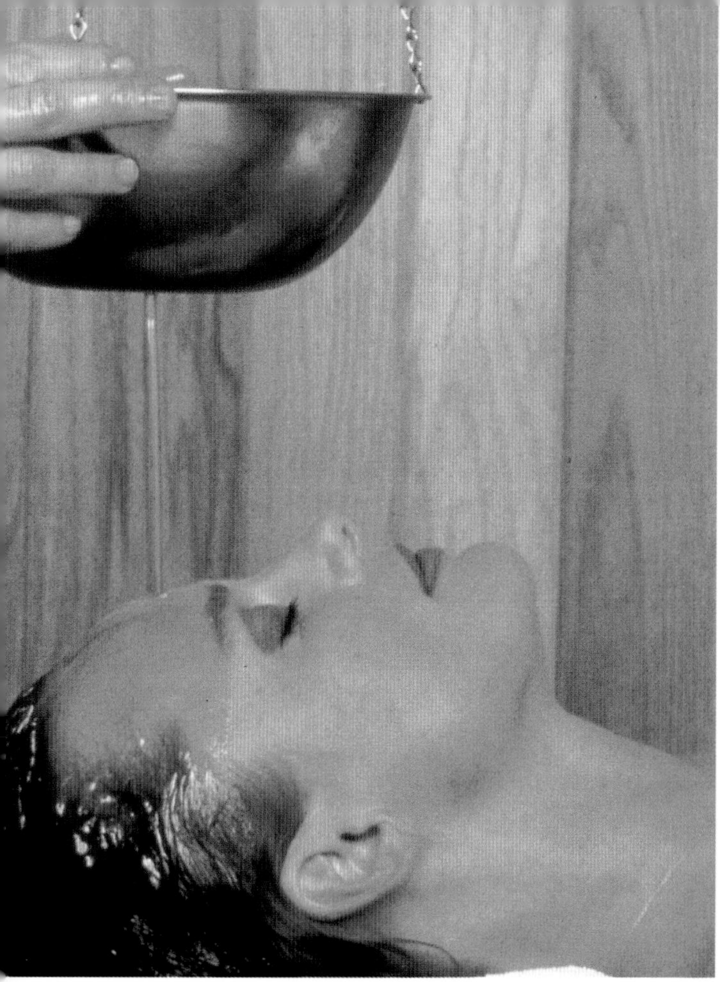

Puedes intentar hacer un masaje con aceite de sésamo en casa. Si haces el fin de semana de relajación junto con alguien más, podéis turnaros para daros un masaje mutuamente (véase páginas 76 a 78, pero en este caso utilizad aceite de sésamo). Calienta al baño maría un bol con aceite de sésamo. Cuando entre en contacto con tu piel debes notar una sensación cálida, de modo que déjalo un rato.

También puedes hacerte un automasaje. Calienta el aceite de la misma forma y luego, con suaves movimientos circulares, masajéate todo el cuerpo con él. Empieza en las plantas de los pies, sube por las piernas, sigue por el cuerpo, la mayor área de la espalda a la que llegues, los brazos, la cara, el cuero cabelludo y el pelo. Naturalmente, el pelo quedará bastante grasiento, pero ya te lo lavarás mañana por la mañana. El aceite de sésamo es altamente nutritivo para la piel; verás como mañana estará mucho más suave.

domingo

8:00 Entrenamiento autógeno	**11:00** Entrenamiento autógeno
8:30 Calentamiento y estiramientos	**12:00** Comida
9:30 Bebida energética o muesli	**15:00** Chi kung
10:00 Ducha (con friegas de sal opcionales)	**17:00** Entrenamiento autógeno
10:30 Reflexología	**18:00** Cena
	22:00 Entrenamiento autógeno

Empieza el día con el entrenamiento autógeno y la sesión de ejercicio. Si lo deseas, puedes repetir las friegas con sal que hiciste ayer en todo el cuerpo excepto en la cara, ya que se trata de un tratamiento muy agresivo para realizarlo dos días consecutivos. Para desayunar elige el batido de yogur o el muesli con algún zumo o una infusión para rehidratar el cuerpo tras la noche.

Cuando hayas desayunado tómate un descanso. Lee, escucha algo de música o simplemente relájate antes de la siguiente actividad: un masaje en los pies que utiliza algunas técnicas de reflexología. La reflexología propiamente dicha requiere preparación, pero aquí hemos incluido explicaciones de algunos de los movimientos básicos. El principio subyacente en reflexología es que en los pies hay una serie de puntos reflejos que corresponden a cada uno de los órganos y las partes del cuerpo. La teoría es que al aplicar un tratamiento a los pies se lo estás aplicando a todo el cuerpo.

Verás que la reflexología:

- tiene un efecto relajante general,
- estimula la circulación sanguínea y linfática.

A mucha gente los masajes en los pies les resultan tan relajantes que incluso llegan a dormirse. Eso, sin duda, no te sucederá si te lo aplicas tú misma, pero si cuando acabes te sientes cansada échate durante media hora antes de comer.

Ponte ropa ancha y cómoda y siéntate con la espalda bien apoyada. Tendrás que buscar cuál es la mejor posición para llegar sin problemas a las plantas de los pies. Para algunas personas es muy sencillo sentarse con las piernas cruzadas. Otras prefieren apoyar el pie que van a masajear en la otra pierna, que está estirada. Sea como fuere, realiza el masaje con fuerza. No deberías practicar la reflexología si estás embarazada, si padeces enfermedades coronarias o tienes venas varicosas.

domingo 10:30 **reflexología**

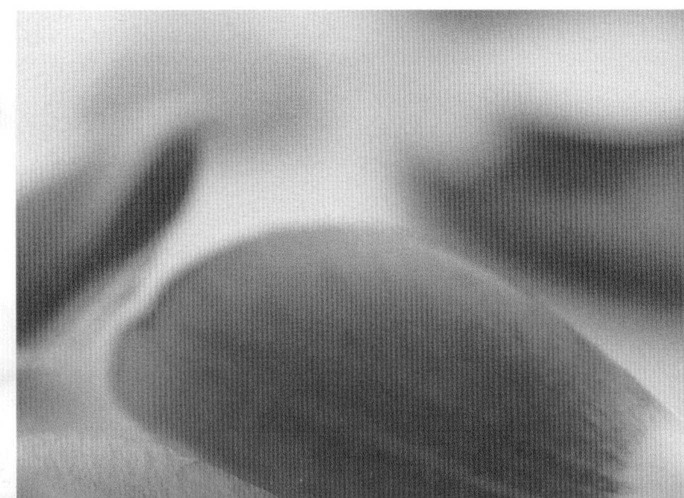

Masaje en los pies

1 Empieza por relajar los pies. Coge un pie con una mano en la planta y la otra en el empeine. Aplica un masaje con movimientos firmes y prolongados, yendo del tobillo a la punta del pie.

2 Cógete el talón con una mano y la punta del pie con la otra. Efectúa movimientos circulares, cinco veces en dirección de las agujas del reloj y cinco veces en el sentido opuesto.

3 Empezando por el dedo gordo, date un masaje a lo largo de cada dedo y, al llegar a la punta, estíralo ligeramente. Repite la operación tres veces.

4 Empezando desde el dedo gordo, desplaza el pulgar de la mano por la zona carnosa que sirve de apoyo delantero del pie. Aprieta bien en cada uno de los montes antes de pasar al siguiente. Cuando llegues al meñique, cambia de mano y, también con el pulgar, haz el camino de vuelta al dedo gordo. Repite la operación dos veces.

5 Con el pulgar ejerce una ligera presión desde la punta hasta la base del dedo gordo. Haz lo mismo en todos los dedos. Cuando llegues al meñique, cambia de mano y, también con el pulgar, haz el camino de vuelta al dedo gordo. Repite la operación dos veces.

6 Cógete los dedos con una mano y, con el pulgar de la otra, efectúa una presión a lo largo de la planta desde la base del dedo gordo hasta el centro del pie, siguiendo la línea del metatarso. Repite la operación en todos los dedos y luego repítela de nuevo en el empeine del pie siguiendo las mismas líneas.

7 Empezando por la rodilla, utiliza el pulgar para ejercer presión en toda la cara interna del pie hasta llegar al dedo gordo. Presiona con firmeza y sigue la línea que sube hasta el empeine. Luego repite la operación en la cara externa del pie, desde el talón hasta el dedo meñique.

8 Finalmente, date un masaje fuerte en la mitad inferior de la planta. Gira el tobillo como antes, en la dirección de las agujas del reloj y en dirección opuesta. Repite el paso 1 con masajes largos y firmes desde el tobillo hasta la punta de los pies. Ponte un calcetín de algodón y repite todo el proceso en el otro pie.

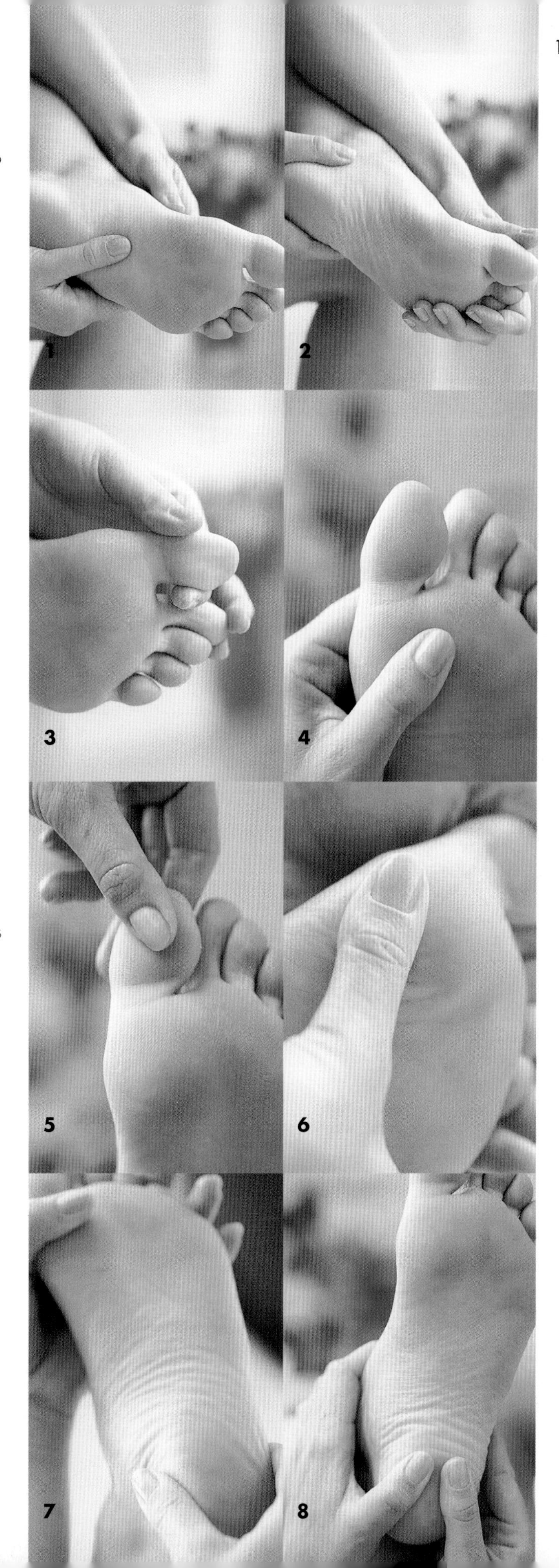

domingo 15:00 **chi kung**

El chi kung es un tipo de meditación en movimiento y una forma de dominar y relajar la energía vital del propio cuerpo, también llamada *chi*. Puede tener un efecto extraordinariamente beneficioso tanto en la salud mental como en la física, y es una de las formas de ejercicio que aportan más energía. Existen muchos ejercicios de chi kung, algunos de los cuales están pensados para tratar dolencias específicas. Sin embargo, los que se incluyen aquí sólo pretenden potenciar la fuerza y la energía, o *chi*. Teniendo todo esto en cuenta, queda claro que se trata de una técnica profunda que no se puede explicar en tan poco espacio. Lo mejor para aprenderla es encontrar un buen maestro, ir a clase por lo menos una vez por semana y practicar en casa entre clase y clase. No obstante, a continuación encontrarás una serie de ejercicios básicos de chi kung que pretenden ser una introducción a este método tan notable.

Atención: no realices estos ejercicios si estás embarazada.

- Vístete con ropa ancha y cómoda y ponte unos zapatos blandos, calcetines o ve descalza.

Posición inicial

Adopta una posición relajada de pie. Es importante que tengas la columna relajada. Inclina la pelvis ligeramente hacia delante para tener la espalda y el cuello rectos y deja que los brazos cuelguen de forma natural a los lados. El cuello debe seguir la línea de la columna y, por lo tanto, tú debes mirar al frente. Relaja las rodillas.

Ascensión a los cielos

1 Partiendo de la posición inicial (véase página anterior) extiende los brazos delante del cuerpo, con los dedos índice tocándose y las palmas hacia el suelo.

2 Empieza a levantar los brazos hacia los lados dibujando un círculo ancho.

3 Cuando los brazos lleguen a la altura de la parte superior de la cabeza, gira las manos de modo que las palmas miren al techo y levántalas rápidamente tan arriba como puedas. Estira los brazos tanto como te sea posible, con las manos en ángulo recto respecto a éstos y los dedos ligeramente separados. Aguanta la posición un momento y baja los brazos hasta que lleguen a la altura de la parte superior de la cabeza. Súbelos y bájalos en un arco continuo 20 veces.

Flexión de rodillas

1 Adopta la posición inicial (página 116) y pon los brazos en cruz, con las palmas hacia arriba.

2 Inspira y gira las manos de modo que las palmas miren hacia abajo. Levanta los brazos y estíralos delante de ti. Empieza a doblar las rodillas.

3 Espira y dobla las rodillas hasta estar en cuclillas, o como si estuvieras sentado encima de un balón de playa.

- Inspira y vuelve a ponerte de pie, con los brazos aún estirados delante de ti.

4 Baja los brazos a los costados, con las palmas mirando hacia atrás.
Si te sientes con fuerzas, repite la secuencia cuatro veces más.

domingo 15:00 chi kung

Abrazar un árbol

1 Adopta la posición inicial. Dobla un poco las rodillas, siente cómo baja tu centro de gravedad, pero mantén la columna recta.

- Levanta lentamente los brazos de modo que dibujen un ancho círculo delante de ti. Mantén esa posición un minuto con las palmas mirando al pecho (con práctica podrás llegar a los cinco minutos) e intenta relajarte en esa posición.

1

Empujar montañas

1 Adopta la posición inicial (página 116). Dobla los brazos y échalos hacia atrás con las palmas hacia delante.

2 Proyecta la base de las manos hacia delante como si empujaras. Luego echa los brazos de nuevo hacia atrás y repite el movimiento 20 veces.

1 2

Arrancar estrellas

1 Adopta la posición inicial (página 116). Cruza los brazos delante del cuerpo, con los codos doblados, el brazo izquierdo a la altura del abdomen y el derecho a la del pecho, como si sostuvieras un balón de playa.

2 Levanta el brazo izquierdo de modo que pase por delante del derecho. Cuando la mano izquierda llegue a la altura de la cara, gira el brazo para que la palma de la mano esté mirando hacia el techo. A la vez, la mano derecha debe empujar hacia el suelo.

3 Empuja con la fuerza suficiente para que ambos brazos estiren, con los dedos apuntando hacia dentro.

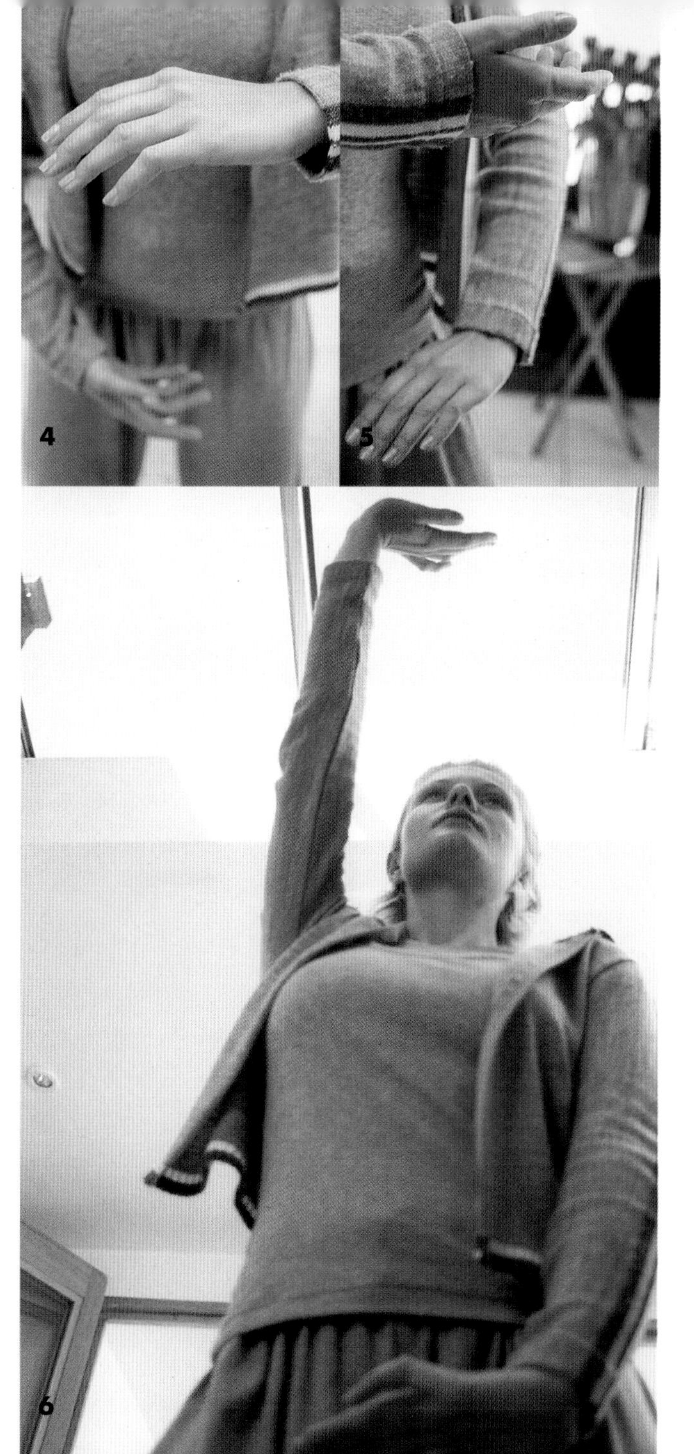

4 Vuelve a poner los brazos como si cogieras un balón de playa, pero esta vez con la mano izquierda arriba.

5 Levanta el brazo derecho de modo que pase por delante del izquierdo. Cuando la mano derecha llegue a la altura de la cara, gira el brazo para que la palma de la mano esté mirando hacia el techo. A la vez, la mano izquierda debe empujar hacia el suelo. Se trata de la misma posición que en el paso 2, pero con los brazos cambiados de posición.

6 Estira ambos brazos como en el paso 3.

- Repite todo el movimiento 10 veces.

domingo 17:00 **entrenamiento autógeno II**

Tal vez antes de que acabe el fin de semana te sientas preparada para pasar al segundo nivel de entrenamiento autógeno, o incluso al tercero, pero no debes tener ninguna prisa para llegar más allá de lo que te resulte cómodo. Lo más importante en el EA es relajarse. Si no te sientes completamente relajada en el nivel en el que estás, no pases al siguiente y espérate a estarlo; de ese modo sacarás mayor partido al siguiente nivel.

Si lo deseas y te sientes preparada para ello, puedes pasar al nivel 2 o al nivel 3 este mismo fin de semana. Sin embargo, se trata de una técnica tan útil que probablemente querrás seguir aplicándola pasado el fin de semana, razón por la cual más adelante aparecen detallados varios niveles más. Recuerda, no obstante, que deberías tardar varias semanas en progresar: ve paso a paso y relájate.

Nivel 2

Cuando hayas practicado lo suficiente el nivel 1 y veas que logras relajarte con mucha facilidad, pasa al nivel 2. En este nivel se prolonga ligeramente la sesión ya que se añade una frase. Repite cada frase lentamente y haciendo pausas, igual que antes.

- Me pesa el brazo derecho.
- Me pesa el brazo izquierdo.
- Me pesan los dos brazos.
- Me pesa la pierna derecha.
- Me pesa la pierna izquierda.
- Me pesan las dos piernas.
- Me pesan los brazos y las piernas.
- Me pesan el cuello y los hombros.

Nivel 3

En esta ocasión se añade un tercer foco de atención: la respiración. No se trata de una respiración especialmente profunda pero, como se deduce de la frase «mi cuerpo respira», vas a tomar conciencia de cómo la respiración afecta a todo tu cuerpo. Una vez más, repite todas las frases de los niveles precedentes.

- Me pesa el brazo derecho.
- Me pesa el brazo izquierdo.
- Me pesan los dos brazos.
- Me pesa la pierna derecha.
- Me pesa la pierna izquierda.
- Me pesan las dos piernas.
- Me pesan los brazos y las piernas.
- Me pesan el cuello y los hombros.
- Mi cuerpo respira.

domingo 17:00 entrenamiento autógeno II

Nivel 4

No empieces con este nivel hasta que seas capaz de concentrarte en los tres anteriores. A menudo, al añadir la respiración en el nivel 3 se tarda bastante en lograr la concentración, de modo que concédete el tiempo que haga falta. Aquí deberás concentrarte en la cara; trata de notar la sensación de serenidad. Cuando te sientas preparada, pasa al siguiente nivel, con la misma velocidad, pausas y repeticiones.

- Me pesa el brazo derecho.
- Me pesa el brazo izquierdo.
- Me pesan los dos brazos.
- Me pesa la pierna derecha.
- Me pesa la pierna izquierda.
- Me pesan las dos piernas.
- Me pesan los brazos y las piernas.
- Me pesan el cuello y los hombros.
- Mi cuerpo respira.
- Tengo la frente serena y relajada.

Nivel 5

Una vez más, no tengas prisa por pasar a este nivel. Aquí deberás concentrarte en tomar conciencia del latir del corazón.

- Me pesa el brazo derecho.
- Me pesa el brazo izquierdo.
- Me pesan los dos brazos.
- Me pesa la pierna derecha.
- Me pesa la pierna izquierda.
- Me pesan las dos piernas.
- Me pesan los brazos y las piernas.
- Me pesan el cuello y los hombros.
- Mi cuerpo respira.
- Tengo la frente serena y relajada.
- El latido de mi corazón es pausado y regular.

Nivel 6

Finalmente, debes concentrarte en la mente.

- Me pesa el brazo derecho.
- Me pesa el brazo izquierdo.
- Me pesan los dos brazos.
- Me pesa la pierna derecha.
- Me pesa la pierna izquierda.
- Me pesan las dos piernas.
- Me pesan los brazos y las piernas.
- Me pesan el cuello y los hombros.
- Mi cuerpo respira.
- Tengo la frente serena y relajada.
- El latido de mi corazón es pausado y regular
- Tengo la mente serena y en calma.

Se pueden incluir muchos elementos más y, efectivamente, si practicas con un maestro de EA los incorporarás. No obstante, con estos 6 niveles (y siempre que te los hayas tomado con la calma necesaria) habrás penetrado lo suficiente en la esencia del entrenamiento autógeno como para que te reporte beneficios tangibles y duraderos. Para seguir practicándolo en tu vida cotidiana realiza por lo menos dos sesiones diarias y minisesiones cuando te encuentres en situaciones de estrés.

Índice

A

abdominales, método Pilates, 30–31
aceites
  de dulces sueños, 56–57, 58–59
  para masaje, 76, 78
  para masaje *panchakarma*, 112–113
  véase también aceites esenciales
aceites esenciales
  aromaterapia, 56–57, 110–111
  automasaje para dormir, 58–59
  para masaje, 76, 78
  tónicos faciales, 88, 89
  tratamiento capilar, 42, 88
agua
  chapotear en la bañera, 27
  complemento líquido, 22
  hidroterapia, 26–27, 36–37
  natación, 36–37
aguacate, filetes de atún con, 97
albahaca, gambas con, 73
albaricoques, ensalada de judías verdes y, 41
almuerzos, 52, 72–75, 94–97
apio
  ensalada Jersey Royal con apio, 39
  sopa de apio fría, 54
arcilla, tratamiento con, 18–19
aromaterapia, 110–111
  automasaje para dormir, 58–59
  en el baño, 56–57
  facial, 88–89
  tratamiento para el cabello, 88
arroz, pimientos rellenos con, 95
atún con aguacate, filetes de, 97
ayurveda, 112–113

B

baño de vapor, 37
baños
  aromaterapia, 56–57
  con sales de epsomita, 47
  de arcilla, 19
  de asiento, 26–27
bebidas, 93
  agua, 22
  batido de yogur, 104
  de arcilla, 19
  energética, 104
  infusiones, 22, 56
  zumos, 20–22
berenjena, sopa de, 55
brazos, ejercicios de, 99

C

cabeza
  digitopuntura, 87
  rotaciones de cabeza, 102
caderas, ejercicios en el agua, 36
calabaza y manzana, sopa de, 53
calabacín y jengibre, sopa de, 94
caldo de verduras, 52
calentamiento, 98–103
caminar, 33
cara
  aromaterapia, 88–89
  friegas con sal, 107
  limpieza, 43–45
  masaje, 58–59, 79–80
celulitis, 24, 108
cenas, 52, 93, 94–97
chi, 86, 116
chi kung, 116–121
  abrazar un árbol, 119
  arrancar estrellas, 120–121
  ascensión a los cielos, 117
  empujar montañas, 119
  flexión de rodillas, 118
chirivía al curry, sopa de, 53
cintura, rotación de, 100
copos de avena, 105

D

desayunos, 34–35, 66–67, 93, 104–105
dieta y sistema inmunológico, 93, 94
digitopuntura, 86–87
  en las manos, 87
  puntos de presión, 87
dolores de cabeza, 87
dormir, 52
  aromaterapia, 56–57, 110
  automasaje para dormir, 58–59
  digitopuntura, 87
drenaje linfático manual, 33
duchas, 26

E

ejercicio
  calentamiento, 98–103
  chi kung, 116–121
  método Pilates, 28–32
  natación, 36–37
  yoga, 60–65, 82–85
  de brazos, 32, 99
  para el torso, 29, 37
  para las piernas, 32, 36, 101, 102
ensaladas, 12–15, 38–41
  ensalada caliente de pollo y nueces, 74
  ensalada campestre con fresas, 40
  ensalada con mango y menta, 39
  ensalada de espárragos a la parrilla, 15
  ensalada de hierba de canónigos con mango y menta, 39
  ensalada de judías verdes y albaricoque, 41
  ensalada de pimientos a la parrilla, 41
  ensalada de pollo con estragón y naranja, 72
  ensalada de rape, 97
  ensalada de verano, 13
  ensalada griega con salsa tahini, 72
  ensalada Jersey Royal con apio, 39
  ensalada mediterránea con hortalizas asadas, 14
  ensalada mixta continental, 38
  ensalada tibia de pato y naranja, 96
  ensalada verde con nueces, 41
entrenamiento autógeno (EA), 92–93, 110, 122–125
espalda, estiramiento de, 102
espárragos, ensalada de, 15
estiramientos, 98–103
  de espalda, 102
  diagonal, 103
exfoliación, 44, 106–109

F

frambuesa, zumo de melocotón y, 22
fresas
  ensalada campestre con fresas, 40
  helado con fresas enteras, 75
friegas con sal, 106–109
fruta, 93
  batido de yogur, 104
  fruta caliente con especias, 96
  higos rellenos, 35
  kiwi con jengibre, 35
  macedonia tibia, 66
  manzana al higo, 66
  muesli, 105
  pudín de verano, 96
  tentación tropical, 35
  zumos, 20–22

G

gambas con albahaca, 73
glúteos, método Pilates, 32

H

helado con fresas enteras, 75
hidroterapia, 26–27, 36–37
hierba de los canónigos, ensalada con mango, menta y, 39
higos
  higos rellenos, 35